내일을 향한 항해

ModernBooks

내일을 향한 항해

발　행 | 2023년 11월 27일
저　자 | 김나현, 김우림, 백지혜, 서초량, 오혜주, 이현주
펴낸이 | 박강산
펴낸곳 | 모던북스
출판사등록 | 2022.10.27.(제2022-144호)
주　소 | 서울특별시 동작구 현충로 220
연락처 | 010-4412-4309

ISBN | 979-11-93445-06-8

https://modernbooks.co.kr

들어가며

『내일을 향한 항해』는 모던북스의 작가가 되는 시간을 통해 발굴한 재능과 통찰력을 갖춘 6명의 신인 소설가들의 작품으로 이루어져 있습니다.

이 단편집에는 기억을 저장하고 싶은 할머니와 외과 의사간의 편지를 통해 기억과 행복에 대한 질문을 던지는 (「기억을 찾아주십시오」)가 수록되어 있습니다. 또한 내면의 결핍을 채워가는 방법을 이미지로 드러내며 제트세대 소녀의 이야기를 전달하고 있는 (「나의 제트에게」), 평생 함께 살아갈 반려견과의 첫만남과 그 인연 덕분에 변화되는 삶의 과정을 담아 기록한 (「만남 이야기」), 어린 아이가 삼남매의 맏이로 거듭나는 순간을 담아낸 (「맏이」)가 수록되어 있습니다.

그리고 자본주의에서 수요와 공급 곡선이 만나서 가격이 형성되는 지점을 풍자한 블랙 코미디 소설 (「화이트 크리스마스」), 예지몽으로 보았던 먼 미래를 맞닥뜨린 화자의 무기력함을 기반으로 무한경쟁과 각박한 현실 속에서 진정 중요한 것이 무엇인지 그 의미를 다시 한번 일깨워주는 (「로하」)가 수록되어 있습니다.

차 례

기억을 찾아주십시오 · 나의 제트에게 · 만남 이야기 · 맏이 · 화이트 크리스마스 · 로하

내일을 향한 항해

김나현 · 김우림 · 백나무 · 서초랑 · 오혜주 · 이현주

ModernBooks

기억을
찾아주십시오

김
나
현

의사 선생님께

선생님, 제 기억을 찾아주십시오.

제 이름은 김선옥입니다. 서류상 47년생이고, 올해로 76세입니다. 제 기억 속에 남아있는 모든 정보를 정리한 생애 이력서를 함께 첨부하니 참고해 주십시오. 생애 이력서에 적혀 있겠지만, 제가 똑똑한 편이 아니라 그런지 대학교는 나오지 못했습니다. 혹시 대학교에 나오지 못했기 때문에 제 기억이 사라지고 있는 것은 아니겠지요?

선생님, 제 기억은 점점 사라져가고 있습니다.

저는 이미 한 끼에 세 봉지씩 약을 먹습니다. 오늘 먹은 아침이 계란후라이인지 계란찜인지 알기 위해서 달력에 메모를 해두어야 합니다. 메뉴조차 달력에 적어두지 않으면 오늘이 무슨 날인지, 밥은 먹었는지, 약은 먹었는지, 아무것도 알 수가 없습니다. 약을 먹었는지 달력에 적어 두는 일조차 쉽지 않습니다. 돌아서면 잊어버리니 약을 두 번 먹은 적도 있습니다. 큰일이 나지는 않았지만 혹시나 큰일이 날까 걱정이 되는 지경입니다.

그래도 종종 찾아오는 요양보호사가 제가 빼먹는 밥과 약을 챙겨줍니다. 아무래도 혼자 살다 보니 작은 도움도 정말 감사하게 느껴집니다. 항상 고맙게 생각하지만, 장판 밑에 있는 만원 짜리를 한 개씩 가져가는 건 속상합니다. 장판에 찰싹 달라붙어 있는 것을 발견하곤 불같이 화를 냈지만, 영리한 보호사는 한 손에 걸레를 들고 자신은 바닥을 닦고 있었다고 했습니다. 아마 걸레 안에 만원 짜리를 숨겨두었을 것입니다. 올 때마다 한 개씩. 걸레 안에 돈을 챙겨가는 모습이 아주 영악합니다. 하지만 그 만원은 그냥 제 이야기를 들어주는 값으로 내버려 두었습니다.

제가 찾고 싶은 기억은 그 보호사 친구에게만 이야기한 제 평생의 비밀과 관련이 있습니다. 이 비밀은 저와 요양보호사, 그리고 이 메일을 읽으시는 의사 선생님까지 총 세명만 알고 있습니다. 혹여나 제 자식들에게는 일언반구의 언급도 없으시기를 단호히 부탁드립니다. 제 자식들과 남편까지도 들은 적 없는 이야기입니다. 하지만 그 요양보호사 친구는 사람 홀리는 재주가 얼마나 대단하던 지요. 정신을 차려보니 저의 비밀을 줄줄 다 이야기하고 있더군요. 아무에게도 말하고 싶지 않아 무덤까지 가져가려고 했던 비밀이었 습니다. 그러나 나만 아는 비밀을 잊게 되니 다시 기억하고 싶어 졌습니다. 나만 잊으면 사라지는 추억을 잃고 싶지 않습니다. 선생 님.

제 비밀은 첫사랑과 몰래 아이를 낳았다는 것입니다.

부모님과 친한 아주머니의 국밥집에서 같이 일을 돕고 있을 때 였습니다. 아주머니가 동네 시장으로 마늘을 사러 간 틈을 타 라디 오 다이얼을 요리조리 돌려가며 아무 노래가 나오기를 바랐습니다. 다이얼을 오른쪽으로 돌릴수록 지직거리는 소리가 잦아들었습니다. 딱 맞은 주파수에선 때마침 비틀즈가 소개되고 있었습니다. 항상 따분한 뉴스 따위로 가득 찼던 국밥집에 잠깐의 생기가 돌았습니 다.

때마침 라디오에선 <헬로, 굿바이>가 흘러나오고 있었습니다. 요즘 가장 좋아하는 가수가 누구냐고 물으면 비틀즈를 얘기하는 사람들이 많았습니다. 사람들은 무슨 뜻인지도 모르는 노래를 처음 부터 끝까지 따라 불렀습니다.

폴 매카트니가 유 세이 굿바이- 아 세이 헬로우 -를 부르자, 갑 자기 국밥집의 문이 열렸습니다. 딸랑거리는 종소리와 함께 가게 안으로 폴 매카트니가 걸어 들어왔습니다.

아니, 폴 매카트니와 똑 닮은 남자가 들어왔습니다. 길쭉한 코와 동그랗고 쌍꺼풀진 눈동자가 폴 매카트니와 매우 닮아있어 너무 놀란 나머지 바닥에 주저앉을 뻔했습니다. 그는 그런 나를 뚫어져라 한참을 쳐다보았습니다. 나도 그의 눈동자를 쳐다보았습니다. 우리 둘은 말없이 서로의 눈을 쳐다봤고, 이윽고 노래가 끝났습니다. 그리고 순간의 고요한 틈을 깨고 그가 말했습니다.

"제가 제일 좋아하는 노래예요."

그 많은 비틀즈의 노래 중에서, 가장 좋아하는 노래가 나와 같다니! 다른 사람들에게 물어보면, 백이면 백 <예스터데이> 나 <올 유 니드 이스 러브> 같은 노래를 말했습니다. 제일 좋아하는 곡으로 <헬로, 굿바이>를 말하는 사람은 나를 빼곤 처음이었습니다. 나중에 들은 얘기지만, 그 남자도 제일 좋아하는 곡이 <헬로, 굿바이>인 사람은 내가 처음이었다고 했습니다. 한참 나중에는 <헬로, 굿바이>가 비틀즈의 노래 중 최고라는 사람들을 많이 만나기도 했습니다만, 그 당시에는 그와 나만이 <헬로, 굿바이>를 좋아하는 유일한 사람들인 것만 같았습니다.

그날 밤 우리는 밤새도록 비틀즈의 노래를 들었고, 그렇게 저에겐 아이가 생겼습니다. 그 사실을 알아차렸을 때는 이미 그는 군인이 되어 잠수함을 타고 있었습니다. 폴 매카트니와 같은 노란색은 아니었습니다. 그가 잠수함을 타는 바람에 연락이 어려웠고, 결국 연락이 끊기고 말았습니다.

그 당시의 저는 이십 대 초반이었고, 아무것도 할 수 없지만 모든 것을 할 수 있는 나이였습니다. 아빠도 없는 아이를 데려오면 맞아 죽을 것이 뻔한 집으로 돌아갈 수는 없었습니다. 소중한 추억이 담겨있는 국밥집도 떠나갈 수 밖에 없었고, 그렇게 만남의 가능성도 멀어질 수 밖에 없었습니다. 저는 추억과 아주 먼 동네로 떠났습니다.

그리고 그 동네에서 아이를 낳았습니다. 아이의 눈동자는 폴의 것 같기도 하고, 그의 것 같기도 했습니다. 보름달보다도 땡그란 눈 위로 그어진 선명한 쌍꺼풀. 아이의 눈은 두 사람의 눈보다도 더 아름다웠습니다. 내 삶에 그렇게 커다란 눈동자를, 완벽한 반달 모양으로 휘어진 눈웃음을 본 적이 없었습니다. 아이가 웃을 때면 나의 세상엔 폭죽이 터지며 그날의 축제가 시작되었습니다. 웃는 아이를 앞에 두고 춤을 춘 적도 있습니다. 그 웃음을 또 보고 싶어서 양손에 행주를 들고 좌우로 흔들며 춤을 추었습니다. 그럼 아이는 행주의 시선을 따라 왼쪽, 오른쪽, 다시 왼쪽, 오른쪽을 쳐다보다가 다시 한번 까르르 웃었습니다. 그럼 나도 그 모습을 보고 까르르 웃었습니다. 그 미소는 평생 기억할 것이라고 생각했는데, 이제는 그 모습조차 흐릿하게 그려집니다. 앞으로는 이제 기억하고 싶어도 기억하지 못할 모습들일 것입니다.

그래서 선생님께 메일을 보냅니다. 선생님께서는 이미 몇 차례 기억을 영상으로 변환해 저장하는 일을 성공하셨다고 들었습니다. 저의 기억이 항상 흐릿한 것은 아닙니다. 하루에도 몇 번씩 눈이

번쩍 뜨이며 기억들이 휘몰아치는 순간이 찾아옵니다. 그 시간이라면 선생님이 저의 기억들을 저장할 수 있을 것입니다.

선생님. 저는 이제 살 날이 얼마 남지 않았습니다. 제 일생에 가장 행복했던 순간들조차 영영 잊게 된다면, 제가 저로써 살아갈 이유를 찾을 수 있을까요? 앞으로의 일들을 기억하지 못하는 제게 남은 것은 과거의 파편들뿐입니다.

절대로 잊지 않을 줄 알았던 기억들이 이젠 다 희미해지고 있습니다. 심지어는 영원히 간직할 수 있을 것 같았던 그의 이름. 심지어는 아이의 이름까지도 기억이 나질 않습니다. 종종 떠오르는 이름들이 그 이름인지 헷갈립니다.

존경하는 의사 선생님. 부디 제 기억을 저장하는 시술을 해주십시오. 그 기억들은 제가 가장 힘들 때 버틸 수 있는 버팀목이 되어줄 영화이며, 세상에서 가장 즐거운 드라마일 것입니다. 살날이 얼마 남지 않은 늙은이의 소원이라고 생각해 주십시오. 부디 긍정적인 답변이 오길 바라며 답변을 기다립니다.

RE : 김선옥 여사님께.

안녕하세요 여사님, 신경외과 박준철입니다.

저도 여사님의 안타까운 사연을 듣고 당장이라도 시술을 해 드리고 싶었습니다. 그러나 안타깝게도 그 시술이 상용화되기에는 아직 한참 먼 기술입니다. 여사님이 보신 기사나 뉴스는 아마 꿈을 영상으로 저장하는 시술을 보신 것 같습니다.

영상변환은 머리에 비침습형 뇌파 측정장치가 있는 헬멧을 쓰고 진행됩니다. 기억이 아닌 꿈을 저장하는 실험을 했을 때는 매우 성공적이었습니다. 피험자의 꿈을 기록할 때는 잠을 재워서 뇌파를 측정합니다. 실시간으로 뇌파를 분석하며 시각정보만을 수집합니다. 수집한 데이터를 바탕으로 피험자가 보고 있는 이미지를 영상으로 구현합니다. 꿈의 경우, 다른 시청각적인 간섭이 매우 적어 꿈 측정은 조금 더 명확한 이미지로 나타나게 됩니다.

그러나 기억 같은 경우, 피험자가 깨어있는 상태에서 기억을 해야하기 때문에 다른 뇌파 간섭이 일어날 가능성이 높습니다. 또한 그 기억이 정확한 기억인지 알 수 없기 때문에 기록된 영상이 피험자의 기억이라고 단언할 수도 없습니다. 그 기억이 진실과 가까워지는 방법은 다수의 증언 혹은 저장장치를 통해 기록된 기록물밖에 없습니다. 이미 수 많은 실험과 연구를 해보았으나, '기억'을 영상으로 저장하는 시술의 정확도가 매우 떨어지게 되었습니다. 그래서 정확한 연구 결과를 위해 피험자는 조건에 부합하고 일련의 테스트를 통과한 사람이어야 합니다.

여사님의 경우, 본인의 기억도 명확한 이미지로 떠오르지 않는 상태이며, 그렇게 기록된 기억 또한 진실인지 알 수 있는 방법이 없습니다. 최첨단 장비를 활용하는 실험이기에 단독으로 진행할 수도 없어, 여사님께 시술을 진행해드릴 수 없는 점 양해 부탁드립니다.

다만, 여사님이 걸어오신 길을 설명해줄 문서들이 있습니다. 그리고 다행히도 이야기를 전달해주신 요양 보호사님이 계십니다. 보호사님을 통해 전해들은 이야기와 의료기록 차트를 기반으로 여사님의 기억을 재구성해보았습니다.

여사님, 진실에 가까운 기억을 알게 되기 전에 드릴 말씀이 있습니다.

여사님이 현재 갖고 계시는 기억이 진실과는 매우 다를 수도 있습니다. 인간이란 자신의 생존을 위해 수단과 방법을 가리지 않고, 기억은 생존에 유리한 방식대로 재편집되곤 하니까요. 행복한 기억만을 가지고 사는 것이 더 현명한 선택일지, 진실을 알게 되는 것이 더 현명한 선택일지 모르겠습니다. 여사님께서 만약 행복한 기억만을 가지고 싶으시다면 메일은 여기까지만 읽어주시길 바랍니다.

하지만 그럼에도 진실을 전부 알고, 그 속에 숨은 행복까지 찾고 싶으시다면 메일을 끝까지 읽어주십시오.

여사님이 말씀하신 폴 매카트니를 닮은 첫사랑 이름은 박주환입니다. 여사님은 첫사랑과 군대로 인해 예기치 못한 이별을 맞았습니다. 군대에 갔던 박주환 씨도 휴가를 받은 날 국밥집에 방문하였으나, 이미 여사님은 다른 곳으로 떠난 상태였습니다. 박주환 씨는 휴가를 받는 날마다 꼬박꼬박 국밥집에 방문하였으며, 국밥집 아주머니가 진저리를 칠 때까지 매번 방문하셨습니다. 여사님은 아이를 키우느라 3년의 시간이 순식간에 지나가 버리셨고, 어디를 다녀올 만한 여유가 없어 3년간 국밥집에 들르지 못하셨습니다. 하지만 다행히 상황이 맞물려 하루의 말미를 갖게 되셨고, 그 날 다녀온 국밥집에 남겨진 메시지를 듣고 박주환 씨를 만나게 되었습니다.

여사님은 결국 박주환 씨와 혼인을 하셨고, 둘째 딸과 셋째 딸, 막내 아들까지 갖게 되셨습니다. 박주환 씨는 아이들을 돌보기는커녕 바깥으로 나돌며 매일 술을 마시고 들어오는 것이 일상이었습니다. 그럼에도 아이들과 여사님은 행복하였습니다. 풍족하진 않아도, 이전처럼 다같이 행주나 수건을 손에 쉬고 춤을 추며 축제를 계속했습니다. 그러나 첫째가 고등학교에 들어갈 무렵, 박주환 씨는 다른 여성분과 새로운 살림을 꾸리게 되었습니다. 여사님은 이전부터 해오던 것처럼 네 아이들을 홀로 키우게 되셨습니다. 그 이후로 여사님은 춤을 추는 법이 없었습니다.

여사님은 어깨 너머로 배운 기술로 국밥집을 새로 여셨고, 국밥집엔 뉴스가 아닌 <헤이 쥬드>가 흘러 나왔습니다. 아이들은 그

노래를 들으며 자랐습니다. 첫째 아들은 의사가 되고 싶어했습니다. 집안 사정이 매우 어려웠지만, 월등히 공부를 잘한 첫째는 장학금이란 장학금은 전부 받아 의사가 되었습니다. 여사님께 첫째는 더욱 귀중한 존재가 되어갔습니다. 폴 매카트니를 닮은 첫째는 여사님의 귀한 아들이자, 남편과도 같으며, 가족 그 자체이며, 여사님의 인생과 같았을 것입니다. 그런 첫째가 데려오는 며느리들은 여사님의 분에 찰리가 없었으며, 모든 며느리들이 다 퇴짜를 맞았습니다. 더 이상의 고통을 겪기 싫었던 첫째는 결국 홀로 지내게 되었습니다.

세월이 더 흐르자, 여사님은 과거의 선택을 후회하셨습니다. 자식이란 놓아주어야 하는 존재라는 것을 너무 늦게 깨달았다는 말을 입에 달고 사셨습니다. 자식들이 돈을 모아 여사님께 드린 핸드폰의 벨소리는 언제나 <예스터데이>였습니다. 더 세월이 흐르자 여사님의 기억은 다시 과거로 돌아가기 시작했습니다. 후회가 가득 담긴 어제, 행복이 가득 찬 어제를 모두 잃었습니다. 그리곤 넷째, 셋째, 둘째, 첫째를 차례로 잊어가고 계셨습니다.

저는 여사님이 살아오신 생애를 매우 존경합니다.
여사님의 치열한 삶에서 후회는 놓아주십시오.

아직도 여사님께 생애를 가감 없이 보여드리는 것이 맞는 일인지 모르겠습니다. 하지만 저도 누군가의 아들입니다. 어머니가 부디 아들을 잊지 않았으면 좋겠습니다. 그래서 저는 아들로써 여사님께 함께 한 추억을 말씀드릴 수 밖에 없었습니다. 부디 함께 들었던 <헤이 쥬드>를, 핸드폰 벨소리인 <예스터데이>를 잊지 말아주십시오. 다섯이서 다같이 춤췄던 시간들을 잊지 말아주십시오.

첫째는 어머니를 이미 용서했습니다.
저의 동그란 눈과 쌍커풀을 잊지 말아주세요.

신경외과의사 박준철 올림.

나의
제트에게

김
우
림

1. 셀카

지하철 속 비친 모습을 보고 있는 희주는 자신의 부족한 부분을 뚫어지게 보고 있다. 이번에는 이마만 하면 될 것 같은데 하며 통장잔고를 보는 순간 한숨이 나왔다. 신용카드 할부만 갚아도 월급은 순식간이었다. 쥐꼬리만한 월급은 가상화폐인지 들어오는 순간 사라지는 마법을 매번 보여줬다. 한숨을 쉬며 북적이는 지하철 안으로 들어갔다.

인별을 키고 유행하는 옷이나 가방을 구경했다. 돋보기를 누르니 수많은 셀럽들이 비쳐졌고 방금 전 누구와는 차이가 많이 나는 듯했다. 얼굴도 몸매도 성격과 향기까지 좋아 보인다. 인별 속 사람들을 관찰했다. 짧은 동영상을 보며 카메라가 원본인지 아닌지 뚫어지게 봤지만 볼수록 더 자괴감만 오는 듯 했다. 옛날에는 그래도 꽤나 이쁘장한 편이었던 것 같은데 성형을 한 지금은 왜 아닌 것 같은지 모르겠다. 여전히 조금 예쁜 애 정도인 것 같다.

회주는 디자인 업무를 하던 중 카톡알림을 확인했다. 저녁에 밥 먹자는 연락이었다. 번개모임의 단톡이었다. 우림이만 되는 듯 했고 다른 친구들은 아쉬움을 표했다. 정해진 칼퇴지만 업무를 미루지 않기 위해 꽤나 집중했다.

찰칵. 먼저 도착한 우림이는 가게 밖에서 사진을 찍고 있었다. 자칭 파워블로거 우림이가 찾은 맛집이었다. 분위기가 여자들이 좋아 할 법 했고 밖에서 서로를 찍어주며 만남을 시작했다. 앉아서 뇨끼 파스타와 피자 시그니처메뉴라는 김치볶음밥을 주문한 뒤 서로의 안부를 물어보려 할 때 우림이의 갸름한 턱이 눈에 들어왔고 우림이는 회주가 물어보기도 전에 눈을 반짝이며 쳐다보고 있었다. 아니 앉자마자 말하고 싶었던 것인가.

"이번에 레이져 리프팅했는데. 너무 좋아."
"너 보니까 나도 하고 싶다."
"뭘 너는 이미 갸름한데."

"비싸?"

"당연~할부로 했지.."

"역시 우리는 할부 인생이다."

"그러게.... 아 이번에 지수 경기도 외곽에 아파트 샀대. 부러워 죽겠다. 아니.. 결혼은 할 수 있을까."

"뭐어? 벌써? 넌 얼마모았어?"

"나는 주택청약에 천있다..."

"야 나보다 났네."

"회주야... 도찐개찐. 끼리끼리. 우리가 괜히 절친이냐."

학창시절 뒤에서 일 이등을 다투던 회주와 우림이었다. 뒤에서 삼등이라도 하는 날이면 밤새서 공부했냐며 장난으로 핀잔을 주며 놀았고 이상한데서 동질감을 느끼던 둘이었다.

부동산 공부는 하냐. 예금도 안하는 무슨 공부냐. 결혼은 할 꺼냐. 할 수는 있냐. 전쟁 난 거 봤냐. 지금 21세기가 맞냐. 지구멸망 하는 것 아니냐. 우리가 무슨 지금 지구를 논하냐. 밥이나 먹자. 사진 찍어서 테그나 해라. 잠시 셀카도 찍자.

찍은 셀카를 보니 더더욱 알겠다. 이마. 이마를 해야했다.

2. 골동품가게

집으로 온 희주는 알바 어플을 켜 적당한 곳이 있나 둘러보았다. 음식집. 술집 서빙 위주였는데 회사일에 지장은 주기 싫어 몸이 덜 힘든 일로 알아보았다. 카페가 적당한 것 같았다. 우선 여러 곳 지원서를 넣은 뒤 아침을 기다렸다. 머릿속에서는 수술을 하고 난 뒤의 자기 모습을 상상하며 행복회로를 돌렸다.

다음 날은 다행히도 토요일 아침이었다. 면접 문자가 와있었다. 사람이 급했는지 면접을 당일에 볼 수 있냐는 연락이 왔고 알겠다는 답장을 하고 희주는 면접에 붙기 위해 단정히 차려입었다.

카페에 들어서자 골동품들이 가득했다. 추억의 MP3와 불량식품들이 보였고 희주는 불길하다는 생각을 했다. 하지만 이내 이마 생각을 하고 행복회로를 돌렸다.

"안녕하세요~ 저 주말 알바 면접보러 왔습니다!"

최대한 밝고 자연스럽게. 웃으며 고개를 숙였다.

"..."

왜 아무말이 없지 싶어 고개를 들었는데 아는 얼굴이 있었다. 그는 성준이었다.

"하하. 선배 안녕하세요!"
"... 내가 순간 당황해서... 저기 앉을래?"
"아... 네...!"

성준. 희주의 고등학교 짝사랑 선배였다. 그는 여전히 잘생겼고 운동을 열심히 했는지 몸집이 꽤나 커져 있었다.

가게와 그는 참 언밸런스했다. 카페가 아니라 마치 잡동사니가 쌓여있는 골동품가게 같았고 그가 좋아하는 물건들로 가득한 듯 했다.

"잘 지냈어? 얼굴보니 반갑다."
"네.. 하하 선배는요?"
"나야 이제 막 오픈했어. 주말알바만 하는 이유가 있는거야?"
"돈이 필요해서요... 평일에는 회사 다녀서 못 나오구요..."

회주는 성형을 하기 위해 알바를 한다는 말이 나오지 않아 숨겼다. 틀린말은 아니니까. 굳이 다 말을 해야 할 사이는 아니니까.

"급하게 필요한 거야?"
"하하 아니요!"

그래. 급하다 급해. 마음과 속이 따로 놀고 있는 회주였다. 근데 니 가게도 급하다.라고 말해주고 싶었지만 요새는 독특한 컨셉의 가게가 많았기에 입을 대지는 않기로 했다.

"그럼 이번주부터 나와줄래?"
"네! 알겠습니다 사장님!"

3. 엠피쓰리의 주인

토요일 아침이었다. 첫 출근을 하기 위해 회주는 들뜬 마음으로 화장을 공들여 했다. 자연스럽지만 자연스럽지 않게.
화장을 하다가 혼자 뭐하는 것인가 싶어 피식 웃기도 했지만 설레는 건 어쩔 수 없는 일이었다.

새로움 때문인지. 성준 때문인지. 이마 때문인지. 아마도 다인 듯
했다.

"안녕하세요 사장님!"

성준은 피식 웃으며 기분 좋은 일 있냐고 묻더니 대답도 하기
전에 자신은 좋은 일이 있다며 희주의 머리에 톡하고 검지를 스쳤
다. 성준은 진짜 좋은 일이 있는 사람처럼 나긋하게 일을 가르쳐
주었다. 포스사용법부터 커피머신 사용법, 카페 레시피를 천천히
알려주었다. 전반적으로 알려준 후 나중에 계속 알려 줄 거라며 손
님이 오면 같이 만들어 보자고 했다. 문제는 손님이었다.

"사장님..."
"응..."
"손님이..."
"앞으로도 계속 이러는 건 아니겠지?"
"어.. 사장님.. sns하세요..?"
"아니..?"
"어.. 음.. 제 생각에는 이거랑 저거 배치 바꾸시고 저거는 치우
면 좋을 것 같아요.."

성준의 가게는 독특함을 넘어서 난잡했고 위치가 좋은 편도. 눈에 띄는 편도 아니었다. 홍보에 대한 생각도 없는 듯해보였다. 쇠질을 하기 위해 세상과의 소통을 끊은 게 분명했다.

회주는 자신이 아는 선에서 도와주기 위해 노력했다. 회주의 제안에 물건을 다시 재배치하는 중 낯익은 물건이 눈에 들어왔다.

"어!!! 아이리*다!!"
"이거 너 거야."
"네에?? 그럴 리가..."

성준은 씨익 웃으면서 손바닥으로 회주의 머리를 쓸었다.

"공주."

그렇게 적혀 있었다. 공주. 내 별명이었다. 예전에는 당연하기만 하던 별명이었는데 이제는 떠올리고 싶지 않기도 했다. 세상엔 당연한 건 없는데. 그만큼 내가 많이 사랑받았단 거겠지. 누군가를 떠올리다 좋지 않은 표정을 이내 숨기며 억지로 웃었다.

"여기에 내 남자친구들이 무수히 많았어. 선배."

"무슨 소리야 너 그때 고백한 애들 너 눈엔 다 안 찬다면서. 그리고 나 쫓아다녔잖아."

뜨끔한 회주는 뒤에 말은 무시한 채 대답했다.

"어 맞아. 안 찰 만큼 멋진 남자들이 많았거든. 반휘혈 오빠. 정태성 오빠. 천유빈 오빠 다시 생각난다..."

"그게 다 누군데."

"있어~ 나쁜남자 반휘혈. 마음을 울린 여자가 너무 많았지."

성준은 억울하다는 듯 회주를 쳐다보다가 이내 회주 손에 있던 엠피쓰리를 뺏어서 자신의 앞치마에 넣었다.

"이 엠피쓰리 이제 내 거야. 니가 버렸잖아."

"뭐야 갑자기 왜 그래."

회주는 성준의 행동을 이해 할 수 없었다. 저렇게 옛 물건들을 쌓아두는 게 취미겠거니 싶었다. 일을 마저 하려 할 그때 손님이 찾아왔다. 자칭 블로거 우림이었다.

"안녕하세요~! 인플루언... 어!!! 뭐야!!"

"어서 와~ 둘다 많이 놀랐지! 사장님 내가 불렀어! 우림아 어서
너의 블로그 솜씨 좀 보여줘."

4. 공주

회주가 향한 곳은 납골당이었다. 액자 속에는 어린시절 회주와
한 남자가 있었다. 공주라는 별명을 가진 것도 다 이 사람 덕분이
었지. 김태준. 회주의 아버지였다.

"아빠 공주 왔어."

그는 회주를 공주 만들어주려고 음식이며 간식이며 학용품이며
전교로 돌려댔고 학부모님들 모일 때면 엄마없는 거 기 안 죽게
하려고 외제차며 옷이며 빼입으셨다. 그 덕인지 그 누구도 엄마 없
다고 뭐라하는 이 없었다. 학교에 후원한 돈도 꽤나 되었는데 회주
네는 제일가는 부자였기에 가능한 일이었다. 그의 사랑은 전교생이
떠들썩할 정도 다정하고 컸다. 매일 공주라고 부르던 아버지가 너
무 보고 싶었다. 누구는 아무것도 할 줄 모르는 딸로 키웠다 하겠
지만

그냥 내 딸이라 고맙고 사랑한다 말해주던 아버지를 잊고 있었
다.

5. 엠피쓰리의 진짜주인

이놈의 골동품 가게는 볼만해지고 사람도 제법이었다.

희주는 성준을 불러 내 알바를 한 달 뒤에 그만둔다고 전했고 그 이유를 설명했다. 성준덕일지도.

"엠피쓰리 주세요"

"내 거라니까."

"아 나 주려고 가지고 주운거 아니야?"

"맞아 갑자기 너가 사라져서 못 줬어."

아빠를 잃을 당시 혼자 할 줄 아는게 없었던 희주는 자신이 아무것도 아닌 것 같았다.

자신이 별로라는 것을 들키고 싶지 않아 그를 피해 다녔고 잠시 동네를 떠났을 때도 성준에게는 말하지 않았다.

"그러니까 이제 줘."

"어..여기...희주야."

"공주."

"?...?"

"공주라고 부르라고~ 왜 잘만부르더니."

이마 수술 대신 엠피쓰리가 나의 생각을 채워줬다. 별거 아니여도. 이룬 게 없어도. 아빠를 생각하며 나는 사랑받아도 마땅할 존재라고 생각했다. 나의 감정의 상실을 다른 무언가로 채우지 않기로 했다. 받아들이고 나아가기로.

만남
이야기

백
나
무

토요일 오후에 여름 이불을 꺼내 침대에 이쁘게 펴서 낮잠을 청하기 위해 누웠다. 내 옆에 나무가 기다렸다는 듯이 후다닥 점프하며 달려와 배를 까서 자려고 준비하고 있다. 그 행동이 너무 귀여워서 배에 간지럽게 쓰담쓰담 했다. 나에게 첫 반려견이자 친구같고 동생도 같은 우리 나무를 못 만났으면 어쩔 뻔했나, 아무리 생각해봐도 인연이란 참 신기했다. 내 방 창문을 통해 뜨거운 햇빛을 느끼며 눈감고 그때를 떠올렸다.

고등학교에 졸업하고도 어린 티가 아직 못 벗어난 거 같은 남자가 헬스 가방에 떨떨 떨리는 검정 강아지를 어색하게 안고 있는 모습을, 그 장면을 죽을 때까지 잊을 수 없었다.

처음 만난 건 전국 폭염재난 문자가 엄청 울렸던 어느 여름이었다. 그때 나는 서울에서 모든 것을 정리 끝나고 고향 안성으로 내려가 백수로 지낸 지 몇 개월 얼마 안 됐을 때였다.

'내가 과연 잘한 결정일까... 나 자신을 지키기 벅차는데 강아지 키우겠다니... 미쳤나봐.'

하지만 외면할 수 없었다. 친구가 보내온 사진을 몇 번이나 계속 봤을 지 모른다. 닥스훈트 믹스견인데 피부가 조금 나쁘고 나이가 많이 보이는 강아지가 겁먹는 눈으로 나를 향해 말하고 있는 거 같았다. 무섭다고 도와달라고,

일주일 내내 그 사진을 보며 고민하다가 마음을 결정하지 못한 채 어디서 정신을 나간 건지 키우겠다고 임시보호자에게 문자로 보내버렸다. 그래서 지금 대전역 앞 주차장 근처에 임시보호자를 기다리고 있다. 자기 폰을 꺼내 시간을 보니 5분 남았다... 마음이 더욱 무거워졌다.

'그래도 키우겠다고 말한 이상, 계속 키울 거지만 내가 할 수 있을지 걱정되네. 나이만 많이 먹었지. 모아둔 돈도 없지 지금 백수지.....'

걱정하는 동안, 주차장 쪽에 있던 내 자리에 빛과 열기가 서서히 들어왔다. 내가 사는 지역에는 따뜻한 봄이었는데 대전 날씨가 정말 장난 아니게 뜨거운 여름이었다. 얼마나 더웠으면 땀으로 온몸을 샤워해도 될 정도였다. 내 머리카락이 이마부터 목까지 거머리처럼 불쾌하게 달라붙이고 기분나빴다. 곧 오고 있다고 했는데 왜

안오지? 생각이 드는 순간, 어린 남자가 헬스 가방을 조심스럽게 보물처럼 안고 걸어오고 있었다. 강아지 전용 가방을 준비 못해서 헬스가방으로 가겠다고 미리 문자를 받아서 알고 있었지만 설마 저렇게 바람막이처럼 얇고 스포츠 가방였을 줄 몰랐다. 잘못하면 빠져나와 도망가면 어쩌려고... 생각했다.

"죄송해요 좀 기다렸죠?"
"아 아니에요! 혹시 사진에 나왔던 그 강아지인가요?"

그 남자가 나를 늦게 발견하고 늦어서 죄송하다고 땀이 뻘뻘 흘리며 빠르게 걸어오며 말했다. 검정 가방에 상체만 조금 빠져나온 검정 강아지가 겁 먹었는지 남자 어깨에 놓지않겠다듯이 꼭 잡고 떨고 있었다. 겁먹는 강아지 눈을 마주치자 조금 전까지만 해도 걱정만 가득 찼던 마음을 거짓말처럼 아예 사라졌다. 왜 그런지 모르겠다. 지금 생각해보면 그때 반했을 거 같고 나랑 함께 수명을 다할 때까지 행복해주고 싶은 인연이라고 느꼈을 지도 모른다.

'어? 늙을 줄 알았는데 이빨보니 깨끗하네... 넌 노안이구나...'
사진으로 봤을 때 온몸에 검정색인데 얼굴에만 새치 많고 나이 많아보였다. 그래서 나이 많은 강아지.
키울 각오했지만 직접 보니 생각보다 어렸다.

그 남자가 자기 어깨에 붙잡은 그걸 억지로 떼어서 내가 준비해

둔 강아지백팩 안에 넣어두려고 했다. 그러자 두려움에 들어가지 않겠다고 몸부림하다가 지쳤는지 들어가 온몸에 진동처럼 떨리는 강아지를 보니 마치 내가 로미오와 줄리엣 사이가 강제로 떨어지 게 만든 나쁜 개장수되는 듯이 느껴서 기분이 묘했다.

"저... 혹시 기차 예매하셨나요? 지금 바로 타러 가세요?"
"아니요! 혹시 여기 목줄 파는 곳 어딘지 아세요? 깜빡하고 목줄 두고 와서... 기차 타기 전에 긴장 풀리게 충분히 산책시키려고요."
"아 네, 그럼 제가 파는 곳 어딘 지 아는데 안내해드릴게요."
"네 감사합니다."

남자가 먼저 앞서서 가자 뒤에 졸졸 열심히 따라갔다. 생각보다 가까워서 금방 도착했다. 노란목줄, 간식 등 몇 개 골라서 계산대 로 가서 내 카드를 꺼내려고 하자 남자가 갑자기 단호하게 말하며 선택한 목줄과 간식들 가지고 계산했다.

"저 주세요. 제가 살게요!"
"네? 괜찮은... 네 알겠어요. 감사합니다..."

남자가 나보다 어린데 사준다는 말에 너무 어색하고 죄송해서 괜찮다고 말하려는데, 짧은 시간이지만 함께 지냈던 강아지에게 마 지막으로 사주고 싶은 마음을 강하게 드러내서 도저히 거절할 수 없었다. 초반에 느꼈던 나쁜 개장수라도 된 기분이 또 한 번 더 느껴졌다. 계산 끝나고 강아지에게 목줄 달고 산책 시키니 긴장감이 사라지고 신난 듯 잘 걸어갔다. 역시 기차 타기 전에 산책시키길 잘했네 흐뭇했다.

'역시 산책은 강아지에게 마약이랑 같은 거지!'

남자는 눈높이에 맞춰서 한쪽 무릎만 꿇고 앉아 말없이 강아지 머리에 계속 쓰담했다. 이제 헤어져야할 시간이 온 것이다. 어쩌면 마지막 인사일 수도 있으니 섭섭하고 아쉬운 마음을 느꼈을까 오래 쓰담했다. 이 마음을 알 거 같아서 기다려줬다. 한시간이상 걸려도 기다려줄 생각 있었다. 하지만 남자는 내 눈치를 보는 지 이제 운동하러 가겠다며 일어났다.

"강아지 눈치 못 채게 저는 조용히 가겠습니다. 궁금하신 거 있으시면 언제든 연락주세요. 잘 부탁드립니다!"
"네 감사합니다. 조심히 잘 들어가세요."

남자가 가면서도 조금씩 뒤돌아보았지만 강아지가 모르는 건지 알고 있는 건지 몰래 조용히 나갔던 방향으로 계속 끝까지 뒤돌아보지 않았다. 이제 완전히 임시보호자의 역할을 끝났다. 산책 끝나고 기차 타기 위해 가방에 넣으려는데 한번 들어갔다고 익숙해졌는 지 바로 잘 들어가서 천천히 누웠다.

'넌 적응력이 참 빠르구나...'

멀미할까 너무 힘들어하면 어쩌나 걱정했던 마음을 덜어냈다. 갑자기 긴장을 풀리니 이제부터 가볍고도 무거운 생명을 내가 책임지고 함께 살아야 하는구나 실감났는 지 피부에 확 닿았다.

'집에 가서 재택근무 얼른 알아봐야겠다... 하지만 걱정마, 내가 마지막 보호자로서 꼭 어떻게든 너만은 먹여살릴게.'

이 마음을 잊지 않겠노라 다짐했다. 아프면 빚 내서라도 치료하고 외롭게 지내지 않도록 어디든 함께 데리고 갈 거고 오냐오냐 아닌 따끔한 사랑을 많이 줄 거라고, 삶의 의욕이 아예 없었던 옛날의 나라면 상상못할 일이었다. 강아지는 나로 인해 인생을 변한 것처럼 나도 너로 인해 곧 인생 달라지겠구나 예지처럼 생각하니 조금 웃었다.

한참 달리다 무사히 안성에 도착해서 바로 가방에 내려주니 강아지가 대전에 있을 때보다 기분이 더 좋아졌는 지 한바퀴가 빠르게 돌았다.

"나무야 네 이름이야, 나무처럼 튼튼하게 자라고 고민해서 만들었는데 어때? 마음에 들어~?"

나무는 내 말에 정말 알아들었다 듯이 어지럽겠는데 싶을 정도 몇바퀴 계속 돌았다. 나는 우연일 수 있겠지만 내 방식대로 그 뜻을 해석해 웃었다.

"좋구나? 여기서 너랑 함께 죽을 때까지 살아갈 거야. 앞으로 잘 부탁해 나무야!"

여기서 나무와 함께 건강하게 행복하게 살았습니다 동화처럼 그렇게 되는 줄 알았다. 그 후 2주일 얼마 안 돼서 갑자기 나무 뒷다리는 조금씩 걷기 불편해지다가 나중에 아예 걷지 못하게 됐다. 그러다 뒷다리 마비 판정 받을까 봐 생각에 심장이 덜컹 내려 앉았다. 아니, 함께 지낸 지 2주 안됐는데 갑자기 빨리 저렇게 아플 줄 몰랐다. 나무가 나한테 몰래카메라 하려고 하는 게 아닐까 어이없는 망상까지 했다.

엄마가 잘 아는 단골동물병원에 달려가서 검사받았는데 처음에 허리디스크 의심했는데 이상하게도 모두 이상 없다고 의사선생님이 말했다. 나무가 이상 없는데도 여전히 계속 뒷다리가 아예 쓰지 못하고 앞다리만 의지하고 있다. 나한테 앞다리로 어떻게든 오려고 애쓰고 있는 나무를 보니 마음이 쓰리게 아팠다. 얼마 전까지만 해도 신나게 뛰어다녔는데... 믿을 수 없었다. 하필 돈으로 해도 해결할 수 없는 쪽이라 힘들었다.

"이상 없는데 뒷다리가 왜 저러는 거예요?"
"아마 염증이 많이 쌓여서 그럴 수도 있어요. 일단 염증 없애는 1주일치 약 만들어 드릴 테니 하루 3일 먹이고 틈틈이 마사지를 해주시면 나아질 수 있을 거예요. 걱정하지 마세요."

걱정하지 말라고 했지만 어떻게 걱정 안 할 수 없었다. 수술 아니고 약이랑 마사지만으로 뒷다리를 마법처럼 걸을 수 있을까? 의사 선생님에게 죄송하지만 너무 믿기 어려웠다. 염증만으로 저렇게 뒷다리 마비 장애처럼 될 수 있다는 걸 처음 들었다. 고민을 했지만 일단 먼저 약과 마사지부터 해보고 안 되면 다른 병원에 찾아보기로 결심했다. 지금 백수 상태로 약값이 사악하게 비쌌지만 나무 다리가 나아질 수 있다면,

매일 빠짐없이 약을 먹이고 한시간 넘게 뒷다리 마사지를 열심히 했다. 나무가 아주 귀찮다듯이 그만하라고 짜증이 드러냈다. 이 자식이... 섭섭한 마음에 딱 꿀밤 때리고 싶지만 참았다.

그 예지가 맞았다. 내 인생이 정말 많이 달라졌다. 나무 중심으로 맞춰서 열심히 살고 있다.

힘들게 구한 재택근무를 일하면서 비싼 영양제랑 좋은 사료를 많이 샀다. 혼자 있을 때보다 지출이 많이 나가고 개육아 생활을 하느라 정신없이 바빴다. 여행이나 모임에 나갈 때도 제한 많아졌지만 아깝지 않고 후회없었다. 그만큼 나에게 나무는 100억 줘도 바로 거절할 수 있을 만큼 없어서 안될 소중한 존재되었다. 나무보다 먼저 아프지 않도록 관심없었던 건강관리도 열심히 신경쓰고 있고 예전보다 웃음이 많아졌다.

그렇게 나무와 4계절 내내 정신없이 울고 화내고 웃고 함께 보

낸 지 벌써 1년이다.

　다행히 처음 때보다 이제 신나게 뛸 수 있을 만큼 뒷다리가 많이 좋아졌다. 정말 약이랑 마사지만으로

　나아질 수 있구나... 의사선생님에게 잠깐 의심했던 마음을 드는게 죄송했다. 그치만 그때 정말 무서웠어... 그 생각만 해도 절레절레, 정말 다시 경험하고 싶지 않았다. 여러 가지를 떠올리고 나니 뒤늦게 궁금해졌다.

　'생각해보니 그 남자는 우리 나무가 잘 지내고 있을지 많이 궁금하고 있을 텐데 부담할까봐. 나한테 먼저 연락 못하고, 대신 궁금하신 거 있으면 언제든 연락하라고 말돌려서 말하는 걸까.'

　먼저 나무 사진을 넣고 보낼까 망설이며 고민했다. 남자 덕분에 잘 지내고 있다고, 하지만 너무 오버일 거 같고 쓸모없는 오지랖일까봐, 문자에 글 쓰다가 지우다가 반복했다. 지난번에 친구 강아지와 나무를 데리고 제주도 여행했을 때 친구가 한 말을 생각났다. 그때 나무가 바다 모래 바닥에 신난 듯 빠르게 날아다녔을 때였다. 그 모습을 보며 친구가 말했다.

　"언니가 먼저 보내봐, 보내주면 고마워하고 엄청 좋아할 거야."

　그 말에 남자가 헬스가방에 보물처럼 안고 있는 모습을 떠올렸다. 아끼는 검정보석을 깨질까봐 조심하는 것처럼, 나모르게 나무 쪽으로 돌아보니 여름이불에 탁구공 크기만큼 침이 많이 흐르며

여전히 배를 까고 잘 자고 있다.

'그래, 보물처럼 잘 아꼈는데. 덕분에 나는 나무를 만날 수 있었으니까...'

한참 생각하다 전쟁터에 나가기 전 준비한 것처럼 비장한 표정으로 결심하고 사진함에 가장 이쁘고 가장 웃기고 가장 행복한 사진 3장을 선택하는데 신중하느라 오래 걸렸다. 겨우 힙겹게 골라서 글도 함께 보낼 준비했다.

안녕하세요. 잘 지냈나요?
1년만에 연락해보네요. 임시 보호자님덕분에
우리 나무가 건강하게 잘 지내고 있습니다.
나무 근황 궁금하실까봐 많은 사진 중에
신중히 3장 선택해서 함께 연락드렸습니다.

.

.

.

오랜만에 문자로 편지처럼 쓰려니 너무 딱딱한가 어색했지만 에라니 모르겠다 문자 전송을 힘차게 꾹
눌렀다. 드디어 보냈다... 이제 답장 기다려야겠다.

긴장한 상태로 몇분 동안 문자를 오길 기다렸지만 계속 안왔다.

내 핸드폰 고장났나 괜히 확인했다. 신경쓰지말아야지...집안일 하고 산책하고도 힐끔 핸드폰에 살짝 봤지만 아무것도 없었다.

'괜히 보냈나..? 그 남자가 관심없을 수도 있는데 내가 갑자기 보내서 놀랐을까.... 역시 너무 오버했네.'
침대에 핸드폰을 농구처럼 던지고 티비에 내가 좋아하는 예능프로그램을 재방송으로 나와 과자를 먹으면서 한참 보는데 그때 문자알림을 울렸다.

울리자마자 바로 침대에 몸을 날려서 핸드폰에 문자보관함을 보니 내가 기다리고 많이 기다렸던 그 문자였다. 긴장한 상태로 읽다가 서서히 입꼬리를 들어 올렸다.

안녕하세요.
1년 만에 생각지 못한 연락을 받아서 어떻게
답장 잘 해야할지 고민하다가 지금 늦게 보냈습니다.
그 애 이름은 나무예요? 잘 어울리네요.
근황 많이 궁금했는데 보호자님께서 불편하실까봐
고민하다가 참았습니다.
먼저 연락 주셔서 정말 감사합니다.
많이 기다렸습니다.
보내주신 사진들을 보니 나무 얼굴이 너무 행복해보여서

안심했어요. 감사합니다.

.

.

.

'역시 기다리고 있었구나. 진작 알았으면 일찍 보내야 했는데….'

언젠가 시간이 돼서 그 남자랑 만날 수 있다면 우리 나무를 보여주고 싶었다. 겁 많고 얌전한 강아지가 많이 달라졌다고, 나무가 남자에게 알아보고 엄청난 점프를 하며 많이 반가울까? 놀란 그 남자 얼굴을 상상하니 나도 모르게 웃음부터 나왔다. 얼른 만나서 그동안에 고생하며 있었던 일을 공유 하고 싶었다. 6월 19일 시간 되냐고 보냈다. 그런 행동은 나에게 엄청난 용기였다. 6월 19일은 나무와 처음 만나는 날짜였다. 그 남자는 알까? 생각하는 동안 바로 답장이 왔다. 긴장했던 마음을 서서히 풀리고 나무에게 좋은 소식을 알려주고 싶었다. 나무야 너를 보물처럼 아끼고 잘해줬던 사람을 곧 만나러 갈거야 라고, 준비 잘해야겠다고 생각했다. 재회한 그날을 위해 기대하며.

맏이

서
초
량

'오늘이 며칠이지?'

급하게 휴대폰을 들여다본다. 액정에 뜬 날짜를 확인한다. 10월 19일. 역시나. 벌써 그렇게 되었구나. 오늘은 성규가 세상에 태어난 날. 성규의 생일마다 그날이 떠오른다. 내가 성규를 처음 마주하던 순간.

다섯 살 난 나는 종종 할머니집에 맡겨지곤 했다. 할머니집에서 놀다가 잠들면 부모님은 날 그대로 재워놓고 집에 돌아갔다. 나는 새벽에 갑자기 눈을 떠서는 왜 할머니집이지? 내일 어린이집 가야 하는데. 불안해 하다가 다시 스르르 잠이 들곤 했다. 그런 날은 당연히 어린이집에 가지 못했다. 나는 불안해하면서도 할머니가 해

준 김치볶음을 맛있게 먹었다. 메로나를 쪽쪽 빨면서 티비를 보고 있으면 아빠가 데리러 왔다.

당시 나는 엄마의 배가 불러오고 있다는 사실도 눈치 채지 못했다. 내게 두 번째 동생이 생긴다는 사실도 몰랐다. 아직 진희가 내 유일한 동생이었다. 요람에 누워 눈을 깜빡이던, 입을 오물거리던, 손가락을 꼼지락거리던. 하얗고 통통한 얼굴이 귀여운 나의 동생. 본능적으로 알았다. 나는 동생을 지켜야 한다는 걸.

이윽고 가을. 내가 기억하는 그날은 안개가 자욱했다. 할머니집은 현관 역할을 하는 미닫이문이 있고 그 문을 열고 들어오면 바로 왼쪽에 큰방, 오른쪽에 작은방이 있다. 아침이면 할머니는 항상 현관문을 열어두었고, 나는 큰방 문지방에 앉아 열린 문 너머로 밖을 보는 걸 좋아했다. 그날도 나는 문지방에 앉아 물끄러미 밖을 바라보았다. 저것이 안개구나. 책에서 말한 안개라는 것이구나. 일렬로 선 할머니의 장독대 위로 안개가 무겁게 내려앉았다. 앞이 잘 보이지 않네.

고개를 돌려 방 안을 보았다. 진희가 아직 이불 속에서 곤히 자고 있었다. 그 옆으로는 가지런히 정리된 할머니의 이부자리가 보였다. 나는 할머니를 찾아 집안을 돌아다녔고 곧 화장실 문 앞에 섰다. 살짝 열린 문틈 사이로 소리가 새어 나왔다. 나는 조심스럽게 다가가 문틈에 눈을 가져다 댔다.

할머니가 화장실 바닥에 쭈그려 앉아 손빨래를 하고 있었다. 할머니 손이 느리게 움직였다. 빨래가 될까 싶을 만큼. 그러다 잠시 손을 멈추고 다시 움직이다가 갑자기 빠르게 빨래를 비벼댔다. 아무런 신호도 없었는데 할머니 볼을 타고 눈물이 흘렀다. 할머니 표정에는 변화가 없었다. 오로지 눈물만 흐를 뿐. 할머니는 눈물을 닦지도 않고 손을 움직였다. 빨래 치대는 소리만이 화장실을 채웠다.

처음이었다. 할머니가 우는 모습을 보는 것은. 말을 걸면 안 된다는 걸 누가 가르쳐주지 않아도 알 수 있었다. 조용히 뒷걸음질 쳐 큰방으로 돌아왔다. 이불을 머리끝까지 덮었다. 잠든 척 해야지.

할머니가 여느 때와 다름없이 나와 진희를 깨웠다. 잠든 척 하려다가 진짜 잠들었네. 할머니는 얼른 일어나서 준비하고 가야한다고, 곧 아빠가 데리러 올 거라고 했다. 아빠가 우리를 집에 데려가려고 오는구나. 할머니도 나갈 준비를 했다. 할머니도 우리집 가? 아니라고 했다. 진희와 나를 병원에 데려가는 거라고. 동생을 보여주러. 아, 아기를 보러 가는구나. 왜 아기를 보러 병원에 가? 할머니는 말이 없었다.

대문 앞에 아빠가 차를 세웠다. 뒷자리에 진희, 나, 할머니 순으로 앉았다. 할머니는 꼿꼿하게 앉아 말없이 앞을 보고 있었다. 한 손으로는 조수석 의자를 꽉 잡은 채로. 아빠는 운전하면서 자꾸만

한숨을 쉬었다. 아빠가 화났을 때 짓는 표정을 나는 알고 있다. 찡그린 미간, 일자로 굳게 다물린 입, 평소보다 커진 아빠의 작은 눈. 그 표정이 아빠 얼굴 위에 나타났다 사라지기를 반복했다.

나는 할머니의 옆모습을 바라보았다. 마치 겨울바람 앞에 선 나목처럼, 분명 허리를 펴고 앉았는데 무너질 것 같았다. 할머니가 아까처럼 울지도 모른다는 생각이 들었다. 앞을 보면 아빠가, 옆을 보면 할머니가. 나는 진희를 꼭 껴안고 싶었다. 진희도 무서울 거야. 내가 지켜줘야지.

그러나 생각한 대로 몸이 움직이지 않았다. 조금이라도 크게 움직이면 부서질 것 같았다. 아슬아슬하게 유지 중인 적막이라는 이름의 평화가. 아빠와 할머니는 사이가 좋은데. 사이좋은 엄마와 아들인데. 둘 다 차에 탄 이후로 한마디도 하지 않았다.

나는 슬며시 손을 움직여 진희 손을 잡았다. 진희도 아무 말이 없었다. 울지도 않았다. 세 살배기 꼬마도 지금 말을 해서는 안 된다는 걸 알고 있었다. 나는 진희 손을 꽉 쥐었다. 분명 동생을 보러 간다고 했는데.

답답했다. 숨이 잘 쉬어지지 않았다. 머리가 아팠다. 속이 울렁거렸다. 할머니 품에 기대고 싶었다. 할머니는 출발한 순간부터 지금까지 자세를 고치지 않았다. 틈이 보이지 않았다. 내가 비집고 들어갈 틈. 그래서 나도 할머니를 따라 꼿꼿하게 앉아 있으려 했다. 점점 어지러워졌다. 앞이 안개가 낀 것처럼 흐려졌다. 이대로 가다간 쓰러질 것 같아. 스읍. 하. 숨을 몰아쉬었지만 누구도 눈치 채지 못한 듯했다. 각자의 생각에 빠져서.

한계에 다다랐을 즈음 차가 멈췄다. 아빠가 내리라고 했고 바깥 공기를 마신 나는 겨우 숨을 제대로 쉴 수 있었다. 반나절은 차를 타고 달린 기분이었다. 실제로는 얼마가 지났는지 모르겠지만.

병원으로 들어섰다. 새하얀 공간에 수많은 인파가 정신없이 돌아다녔다. 하얗다. 커다란 병원은 하얗다. 크고 차갑다. 한 손을 할머니 손을, 다른 한 손은 진희 손을 잡고 엘리베이터를 탔다. 전등이 반밖에 켜지지 않은 어두운 복도가 나왔다. 그렇게 어둡지는 않지만 방금 봤던 밝고 하얀 복도에 비하면 어두운 편이었다.

내 머리 위, 손이 닿지도 않는 위치에 커다란 유리창이 있었다. 빨갛게 눈이 부은 이모와 안타까운 표정의 이모부가 그 앞에 서 있었다. 할머니와 이모가 말을 주고받았다. 이모부는 나를 발견하고는 번쩍 안아 올려 유리창 가까이 다가갔다.

나란히 줄 지어 놓인 투명한 상자. 하나의 상자 안에 한 명씩 아기가 들어있었다. 지금까지 내가 본 아기들과는 다른, 진희를 처음 봤을 때와도 다른, 사람이라고 하기에는 너무 작은, 과장해서 어린

주먹만 한 아기들이.

누가 내 동생인지 알려주지도 않았는데 한 명의 아기가 눈에 들어왔다. 많은 아기들이 있었지만 그 아기만 뚜렷하게 보였다. 이모부가 내가 바라보는 아기를 손으로 가리키며 말했다. 윤희 동생이야. 성규한테 힘내라고 해야지? 왜 힘내라고 해야 하는지 이유도 모른 채 주먹을 쥐고 외쳤다. 성규야, 힘내.

이모부는 진희도 들어 올려 내게 했던 말과 똑같은 말을 했다. 진희 동생이야. 성규한테 힘내라고 해주자. 진희는 내가 했던 행동을 똑같이 따라하며 힘내라고 말했다. 이모부가 진희를 내려놓자 할머니는 진희와 내 손을 잡고 급히 왔던 길을 되돌아갔다.

그 뒤로 부모님을 만나기 힘들었고 나와 진희는 할머니집에서 생활했다. 할머니는 종종 티비 앞에 앉아 멍한 눈으로 허공을 바라봤고 그날처럼 화장실에서 울기도 했다. 깊은 밤이면 우리를 재웠다고 생각한 할머니가 누군가와 통화하는 소리를 들을 수 있었다. 방법이 없다드나. …그래. 달칵, 수화기를 내려놓는 소리가 들렸다. 내가 까무룩 잠들 때까지 할머니는 자리에 눕지 않았다.

몇 달이 지났을까. 우리는 집으로 되돌아왔다. 오랜만에 만난 엄마는 지친 얼굴을 하고 있었다. 엄마가 말했다. 성규가 많이 아프다고. 그래서 엄마랑 아빠가 성규한테 계속 붙어있어야 한다고 그

랬다. 어디가 아픈데? 엄마는 그저 한숨을 쉬었다. 나도 진희도 집
으로 돌아왔는데 성규는 아직 병원에 있었다.

집에 돌아오고 나서도 몇 번 더 성규를 보러 병원에 갔다. 성규
는 조금씩 커서 상자 밖을 나왔다. 병원 침대에 누워 머리에 링거
바늘을 꽂고 있었다. 성규 손을 잡고 싶었지만 만지면 안 된다고
했다. 내가 할 수 있는 일은 없었다. 다만 속으로 외쳤다. 성규야,
힘내.

태어나고 2년이 지나서야 성규는 집으로 올 수 있었다. 성규는
잠이 없어 새벽에 깨어나 혼자 놀았다. 성규가 걱정되어 나도 덩달
아 새벽에 일어났다. 혹시라도 놀다가 다칠까 봐. 언젠가 세발자전
거를 타던 성규가 넘어지는 것을 뒤에서 받쳐준 적이 있다. 내가
받쳐주지 않았다면 크게 다칠 뻔 했다.

포옥. 뒤로 넘어진 성규가 내 품에 안기는 순간 잠들어 있던 감
각이 눈을 떴다. 갑자기 가슴 깊숙이 파고드는 감각.

나는 이제 맏이구나.

그날 놀다 지쳐 잠든 성규를 가만히 바라보았다. 번데기처럼 이
불을 돌돌 말고 잠든 성규의 얼굴을 쓰다듬어 보기도 했다. 언제까
지고 내가 이렇게 받쳐줄 수 있을까. 내가 언제까지고 너의 곁을

지킬 수 있을까. 작고 여린 나의 동생아.

화
이
트
크리스마스

오
혜
주

　예상치 못한 폭설 때문에 펜션에 발이 묶였다. 은하는 텅 빈 주방에 혼자 앉아서 창밖을 바라보았다. 사물을 분간하기도 어려울 정도로 눈발이 거셌다. 창밖의 수영장은 아가리를 한껏 벌리고 눈을 삼키는 동물처럼 보였다. 은하는 집으로 돌아가는 길이 아득하게 느껴졌다. 펜션 밖을 나와서 오솔길에서 한참을 걸어야 버스 정류장이 나온다. 버스 정류장은 한 시간에 한 번씩 배차되는데, 그마저도 초저녁에 막차가 온다. 교외로 가기 위해서 사장의 차를 타고 가야 할지도 몰랐다. 그건 여지를 주는 것 같아서 싫지만 달리 방도가 없었다. 방금 전에 펜션 사장은 은하가 음식을 세팅하고 있을 때 등 뒤로 와서 수요일에 무슨 일을 하는지 물었다. 은하는 머릿속에 구상 중인 시나리오를 떠올렸다. 은하는 대학교를 졸업하자마자 시나리오 작가로 일을 했다. 은하가 쓴 시나리오로 제작사에서 투자도 받았다. 중소기업 수준의 제작사였지만 은하가 만들고 싶은 영화를 만드는 것에 어떠한 압력도 가하지 않고 최대한 작가의 의도대로 영화를 만들 수 있도록 배려해주었다. 영화감독은 시나리오에 마케팅 포인트가 부족하다고 걱정했다. 이른바 대중의 눈길을 잡아둘 수 있는 섹시 컷이 없다고. 그럼에도 은하는 자신이 있었다. 아리스토텔레스의 <시학>에서 시각적인 장치보다 플롯이 더 중요하다고 했기 때문에 은하는 자기 믿음을 자신 있게 밀고 나갔다. 결과는 대실패였다. 흥행 실적은 매우 저조했고, 적자를 면하지 못했다. 은하의 영화는 개봉과 동시에 빠르게 사라졌다. 은하는 당장에 매달 통장에서 썰물처럼 빠져나가는 학자금 대출금과 전세 대출금을 갚기 위해서 이 펜션에서 알바를 시작했다. 쉬는 날에 두 번째 시나리오를 쓸 생각이었다. 그러나 사장에게 '글에 대해 구상하고 있다' 혹은 '글을 쓸 것이다.'라고 말하는 것은 어쩐지 허영심처럼 느껴져 창피했다. 은하는 그저 약속이 있다고 둘러댔다. 사장은 무척이나 아쉬운 얼굴로 말했다.

"아, 은하랑 데이트해야 하는데. 언제 할까?"

은하는 똑똑히 들었지만 못 들은 척했다. 상대가 이렇게 노골적으로 기습을 할 때 어떤 반응을 보여야 하는 건지 알 수 없었다. 사장은 그런 은하에게 핸드폰을 들이밀었다. 핸드폰 화면에는 검은색 중형차가 정면을 보고 있었다. 교외로 드라이브를 가자고 했다. 은하는 남자친구와 약속이 있어서 안 된다고 단호하게 말하면서도 슬쩍 사장의 표정을 살폈다. 사장은 멈칫거리더니 눈동자가 미세하게 흔들렸다. 사장의 얼굴에 어? 하고 커다란 물음표가 떠올랐다. 그러더니 이내 낯빛이 굳어졌다. 그녀에게 남자친구가 있으리란 생각은 하지 못한 것이다. 은하는 글을 쓰는 사람이라서 곤란한 상황을 모면하기 위해 그 자리에서 거짓말을 지어내는 일은 무척이나 쉬웠다. 애인이 있다는 사실은 단연코 거짓말이었지만 그 사실에 그토록 충격적인 반응을 보일 정도로 자기가 볼품없어 보였다는 것인가 회의가 들었다. 동시에 안도했다. 더 이상 혼란스러운 일은 없을 거라고 생각했다.

띵동, 주방에 빨간 불이 들어왔다. 띵동, 띵동. 다섯 번이나 벨을 연달아 눌러서 호출을 했다. 마치 비상사태를 알리는 경고음 같았다. 홀에는 한 테이블의 손님들만 있었다. 그 손님들은 펜션의 VVIP들이었다. 일 년에 한 번씩 펜션에 와서 펜션 전체를 통틀어 빌린다고 들었다. 서른다섯 살 정도되는 여자 두 명과 사십대를 훌쩍 넘어 보이는 남자 한 명의 모임이었다. 그중에 둘은 부부였고 하나는 그 부부의 아내 쪽으로 여겨지는 친구였다. 겉으로 볼 때 평범한 아줌마들과 아저씨이지만, 세 사람은 지역의 유지이고 정치에도 막강한 힘을 행사할 정도로 권력이 있다고 들었다. 세 사람은 서로를 제시카, 요코, 존 킴이라고 불렀다. 은하는 자리에서 일어났다. 주방 보조 담당이라 서빙 담당은 아니었지만 나가봐야 할 것 같았다. 서빙을 맡은 아르바이트생들은 자주 담배를 피우러 간다는 이유로 말없이 홀을 비웠다. 아마도 펜션 입구에서 왼쪽으로 돌아가면 있는 구석에 '금연 구역'이라는 팻말 아래에서 담배를 피우고 있을 것이다. 은하는 담배를 피우지않아서 좀처럼 다른 아르바이트 생들과 어울리지 못했다.

※

"한 시간이나 기다렸는데 음식은 대체 언제 나오는 거야!"

제시카가 소리를 질렀다. 그 옆의 요코도 눈살을 찌푸렸다. 존 킴은 아이폰으로 비트코인 주가를 살피고 있었지만 주가에는 흥미를 잃은 얼굴이었다. 존 킴의 귀는 은하를 향해 있었다.

"죄송합니다. 지금 밖에 폭설이 내려서 오기로 예정되어 있던 출장 요리사님의 도착이 늦어지고 있습니다."

그 말에 아이폰 화면을 보고 있던 존 킴이 고개를 들었다.

"아니, 너 그럼 아직 조리는커녕, 요리사조차 도착하지 않았다는 거야? 배고파 죽겠는데."

"뭐라도 좋으니 내와요. 지금 배고파 죽겠으니까."

옆에서 요코가 침착하게 거들었다.

"네, 죄송합니다."

은하는 다시 주방으로 들어갔다. 주방에는 아무런 음식도 없었다. 찬장 안에 흔하디흔한 라면 한 봉지조차 없어서 내올 수 있는 게 아무것도 없었다. 식료품 냉장고 문을 양손으로 열었다. 식료품 냉장고 안은 텅 비어있었다. 차가운 냉기 때문에 얼굴과 팔에 소름이 돋았다. 텅 빈 냉장고 안은 성에가 끼어 있었다. 은하는 어렸을 때 종종 냉장고 안에 들어가서 숨고는 했다. 엄마는 그걸 숨바꼭질

놀이라고 불렀다. 새아빠가 술에 취해서 현관문 앞에서 은하의 이름을 부르며 안으로 들어올 때면 은하는 냉장고의 코드를 뽑았다. 어차피 냉장고 안에는 아무런 음식도 없었고 은하의 몸집은 아주 작아서 들어가 숨기에 알맞았다. 냉장고 안에 들어가 있으면 새아빠가 엄마를 때리는 소리도 들리지 않아서 좋았다. 은하는 성에를 쓸어보면서 지금 성인이 된 은하가 들어가도 남을 만큼 충분한 크기라고 생각했다. 은하는 본능적으로 식품 냉장고의 코드를 뽑았다. 그때 백희가 껌을 짝짝 씹으며 주방에 들어왔다. 백희는 날 보더니 고갯짓을 했다.

"손님이 빨리 음식을 달라고 하던데, 요리사는 언제 온대?"

"요리사 안 와. 못 온대. 폭설 때문에 길이 막혀서."

백희는 기지개를 폈다. 백희의 하얀 셔츠에서 담배 냄새가 훅하고 끼쳐왔다. 백희는 주방의 싱크대 주변에 꽂힌 접시들을 다라라 훑더니 멈춰 섰다.

"그럼 저기 저 손님들은 어떡해?"

"이 작은 접시는 여기에 꽂아두면 안 돼."

백희는 둥근 접시 사이에서 네모난 접시를 꺼냈다. 백희가 까치발을 들자 기다란 머리카락이 허리 아래까지 넘실거렸다. 소매 사이로 검은색으로 섬세하게 그려진 장미꽃 타투가 보였다. 찬장 위에 올려두었다. 백희의 기다란 머리카락이 허리 아래까지 넘실거렸다. 실루엣이 아름다웠다. 백희는 노래를 흥얼거렸다. 빠른 템포와 유치한 가사로 봐서 최신 가요 같은데 은하는 모르는 노래였다.

"미안해, 근데 손님들이 빨리 음식을 달라고 하던데..."

은하는 말끝을 흐렸다. 백희가 어깨를 으쓱했다.

"집에 가겠지, 뭐. 갈 수 있으면. 애초에 출장 요리사를 부른 것도 저쪽이고. 우리는 책임질 게 없어. "

백희는 입꼬리를 비틀었다. 은하는 다시 한번 창밖을 바라보았다. 예고도 없는 폭설은 펜션을 무서운 속도로 덮쳐오고 있었다. 손님들과 사장의 차에 사이드 미러 높이로 눈이 가득 쌓였다. 웬만한 성인 남성의 허리춤까지 오는 깊이였다. 띵동, 주방에 다시 호출음이 울렸다. 이번엔 아까보다 더 다급해 보였다. 띵동, 띵동, 띵동. 띵동. 네 번이 울렸다. 그리고 잠시 템포를 쉬었다가 두 번의 신호음이 더 울렸다.

"시발, 귀가 먹었나. 왜 몇 번씩 누르고 지랄이야."

백희는 홀로 나가버렸다. 시간을 보니 오후 8시였다. 퇴근까지 두 시간이 남았다는 것을 깨달았다. 그때쯤이면 폭설도 잠잠해지지 않을까. 어쩌면 이곳에 하룻밤을 자고 가야 할지도 몰랐다. 펜션은 삼층으로 되어있었는데 일층엔 식당이 있고 이층과 삼층엔 숙박실이 있었다. 홀은 시끄러웠다. 제시카의 비명이 들렸고, 요코의 울음소리, 존 킴의 목소리가 어우러졌고 그에 대항해서 오목조목 설명하는 백희의 목소리도 들렸다.

※

은하는 그들을 뒤로하고 로비로 걸어갔다. 일층 로비에는 자판기 옆에 벤치가 있었다. 자판기는 음료수와 컵라면, 초콜릿이 다양하게 구비되어 있었다. 은하는 쉬는 시간마다 여기에 와서 음료수를 하나 사서 벤치에 앉아서 마셨다. 하늘색 청바지 오른쪽 주머니에 넣은 핸드폰 진동이 울렸다. 핸드폰 화면에 커다랗게 '엄마'라고 떴다. 은하는 전화를 받았다. 전화 너머로 엄마의 고른 숨결이 들렸다.

"은하야, 잘 지내지? 밥은 잘 먹고 다니고."

"네."

"이번에 엄마가 카페 건물 하나를 계약하게 됐어. 엄청 목 좋은 곳이야. 다들 내가 운이 좋대."

"저 돈 없는데..."

핸드폰 너머로 은하의 엄마는 잠시 말이 없었다.

"삼백만 원만 빌려줄 수 없어? 너 시나리오 계약금으로 천만 원 받았다며."

"그, 그거 학자금 대출 갚아야 돼서......"

"애가 왜 말끝을 흐려. 답답하게! 엄마가 다음 달에 꼭 갚을게. 두 배로 준다."

"거짓말..."

누군가 은하의 어깨를 톡톡 건드렸다. 그녀는 화들짝 놀라서 뒤를 돌아보았다. 제시카가 서있었다. 핸드폰 너머로 뭐라고 엄마가 떠드는 목소리가 들렸다. 제시카는 어색하게 웃었다. 제시카는 검은색 샤넬 원피스를 입고 디올 핸드백을 겨드랑이에 낀 채 지미추 하이힐을 신고 있었다. 귀에 달린 샤넬 귀걸이는 가만히 있어도 빛에 반짝거려서 끊임없이 찰랑거리는 물결처럼 보였다.

"통화 중에 죄송합니다. 돈 좀 빌려주실 수 있어요?"

"아, 어? 저 돈 없는데요."

은하가 빨간 카드 지갑을 열었다. 카드 지갑 안에는 국민은행 체크카드, 삼성카드, 인생 네 컷에서 친구와 흑백 필터로 찍은 사진, 동네 고양이 카페에서 받은 쿠폰과 함께 천원 한 장밖에 없었다. 제시카는 파란색 천 원을 보자 눈을 반짝 떴다.

"그거, 천원 주면 안 돼요? 제가 오만 원 드릴게요."

"왜요?"

은하는 엄마에게 이따가 전화한다고 양해를 구하고 전화를 끊었다. 제시카는 지갑 안에 있는 현금을 전부 꺼내서 보여줬다. 그러더니 침을 발라서 오만 원을 하나둘씩 세기 시작했다. 총 서른 장이었다. 은하는 평소에 저런 현금을 몸에 지니고 다니는 사람을 본적이 없었다.

"딱 백오십만 원이에요. 출장 요리사한테 주려고 한 건데 못 오게 되어서 그쪽한테 전부 드릴게요."

"아니, 그니까... 대체 왜요?"

"제가 보다시피 가진 거라곤 돈과 미모밖에 없어서요."

은하는 제시카를 경계심이 가득한 눈빛으로 의심스럽게 쳐다봤다. 제시카는 어깨를 으쓱하며 말을 덧붙였다.

"폭설이 와서 저희 고립되었어요. 아마 오늘 내로 여기서 못 나갈 거예요. 배는 엄청 고프고, 음식이라곤 이 자판기밖에 없고. 우리 일행 중에 아무도 천 원짜리를 가지고 있는 사람이 없네요."

은하는 탄식 어린 한숨을 내쉬었다. 이 펜션에서 고립된 것이라면 정말로 큰일이다. 펜션 안에는 음식이 하나도 없었고 언제 나갈지 모른다면 천원 한 장은 소중한 자원이었다. 은하는 자판기 안에 배열된 사이다와 컵라면, 초콜릿을 복잡한 심정으로 바라봤다. 천원을 주고 백오십만 원을 받는 것은 누가 봐도 불공정한 수익이었다. 눈발이 그치고 길이 열리면 다시 제시카가 백오십만 원을 돌려달라고 해도 할 말이 없을 것이다. 사람들이란 자고로 아쉬울 땐 간이고 쓸개고 내어줄 것처럼 굴지만, 필요가 없어지면 언제 그랬냐는 듯이 차갑게 돌변하기 마련이다. 오히려 은하 본인이 도둑이나 사기꾼으로 몰아도 할 말이 없다고 생각했다. 은하는 고개를 내저었다.

"죄송합니다. 천 원은 줄 수 없어요. 대신 삼백 원은 안될까요? "

은하는 지갑 안에 삼백 원을 보여줬다. 제시카는 충격받은 표정으로 얼어버렸다. 제시카는 동전을 처음 보는 사람처럼 뚫어지게 바라봤다. 자판기에 삼백 원어치의 음식은 없었다. 제시카는 동전을 지갑에 넣고 다니는 건 매우 촌스러운 일이라고 생각해왔다. 백오십만 원 상당의 지폐 뭉치를 바닥에 떨어뜨렸다. 오만 원이 바닥에 우산처럼 펼쳐졌다. 제시카는 주울 생각도 하지 않고 은하를 바라보았다. 은하는 허리를 숙여서 오만 원 지폐를 한 장씩 주웠다. 차곡차곡 각을 맞춰서 정리한 다음 제시카에게 주웠다. 제시카는 얼떨결에 오만 원 뭉치를 받긴 했지만 떨떠름했다. 무언가 더 은하를 설득시킬만한 말을 찾고 있는 눈치였다.

"백오십만 원이 부족하면 나머지는 계좌로 쏴드릴게요."

"괜찮습니다."

은하는 천 원을 다시 지갑에 넣었다. 제시카가 입맛을 다셨다. 은하는 주방으로 다시 돌아갔다. 정말로 고립된 것인지 확인하기 위해서. 핸드폰으로 네이버에 검색해서 네이버 뉴스를 살폈다. 그 어디에도 강릉 펜션에 사람들이 갇혔다는 뉴스는 나오지 않았다. 은하는 경찰에게 전화를 해서 이 펜션에 꺼내달라고 요청해야겠다고 생각했다. 그녀는 화면에 112를 누르다가 지우고 누르고 지우기를 반복했다. 112라는 번호가 주는 무력감이 있었다. 아무리 신고를 해도 달려오지 않았던 경찰들. 단 한 번도 냉장고에서 꺼내준 적이 없는 경찰들에게 전화를 했다.

"저, 언제 꺼내주실 수 있나요?"

"강릉 펜션이죠? 이미 신고가 들어왔습니다. 소방차가 갈 거예요."

"감사합니다."

※

은하는 전화를 끊었다. 은하는 대리석 바닥만 보며 길을 걷고 있는데 은하의 시야에 검은색 고급 가죽 구두가 들어왔다. 은하는 고개를 들었다. 존 킴이 그녀를 가로막았다. 은하는 그를 피해서 왼쪽으로 비키자, 맞은편에 있는 존 킴은 오른쪽으로 갔다. 다시 은하가 비켜주려고 오른쪽으로 가자, 존 킴은 왼쪽으로 가서 길을 막았다. 존 킴은 한 손에 아이폰을 들고 전화 중이었다. 핸드폰 너머로 '이사님, 헬리콥터를 띄울 수 없어요. 워낙 눈보라가 세서.'라는 말이 크게 들렸다. 조용하게 전화를 받는 은하와 달리, 존 킴은 주변 모든 사람들이 자기 통화를 들을 수 있도록 스피커를 켜놓는 타입이었다. 존 킴은 도움이 안 된다며 전화를 끊었다.

"아가씨. 천원 있어?"

"없습니다."

은하는 딸꾹질을 했다. 저도 모르게 겁을 집어먹고 튀어나온 거짓말이었다. 그도 그럴 것이 존 킴은 몸집이 엄청나게 크고 온몸이 근육질로 이루어진 사람이었다. 제시카가 말을 걸 때와 다르게 일진을 마주한 기분이 들었다.

"내가 아까 저 멀리서 본 것 같은데?"

"그건 제 거예요. 사이다 마시려고..."

은하는 한껏 미안한 표정을 지었다. 왜 자기 돈 천 원으로 사이다를 사서 마시려는 걸 미안해해야 하는 걸까 의아했지만 커다란 철망치 같은 그의 손바닥을 보는 순간 이해가 될 것도 같았다.

"아가씨, 미안한데 그 천원 좀 나 주면 안 될까? 내가 당뇨가 있어서 당이 있는 초콜릿을 꼭 먹어야 하거든. 응?"

은하는 곤란했다. 새아빠에게도 당뇨가 있었다. 새아빠는 은하가 어렸을 때 아파트 건축 사업을 했었다. 그는 의리 빼면 시체였음에도 불구하고 친구는 단 한 명밖에 없었다. 유일한 죽마고우이자 베스트 프렌드인 친구에게 집을 담보로 보증을 섰다. 보증을 선 다음 달부터 친구는 잠수를 탔다. 엎친 데 덮친 격으로 IMF가 터지면서 아빠의 건축 사업은 크게 무너졌다. 은하는 새아빠를 따라서 받지 못한 투자금을 회수하러 공사장에 따라다녔지만 투자금을 돌려주는 업체는 한 군데도 없었다. 은하가 유치원이 끝나고 집에 오니 온 집안에 빨간 딱지가 있었다. 너무 낡아서 되팔 수 없는 냉장고를 제외하고. 새아빠는 그때의 충격으로 당뇨병에 걸렸다. 그는 어린 은하에게 온 세상이 자신을 불행하기만을 바라는 것 같다고 말했다. 그런 연유로 은하는 당뇨병 환자에게 무한한 연민을 갖고 있었다. 당뇨 환자들은 쇼크가 왔을 때 단 것을 먹지 않으면 심각한 상황에 처할 수도 있었다. 사람의 생명이 걸린 일이었다. 은하는 잠시 머뭇거리다가 그에게 천 원을 주기로 결정했다. 지갑에서 천 원을 꺼내서 그의 손에 넘기려는 순간이었다.

"잠깐만. 뭐야. 이거 뭔 시추에이션이야? 내가 아까 달라고 그렇게 애걸할 때도 안 줘놓고서 왜 존 킴한테는 바로 줘버려요."

"이 분이 당뇨 환자인데 쇼크 오기 전에 빨리 초콜릿을 드셔야 할 것 같아서요."

제시카는 존 킴에게 화를 냈다.

"어디서 수작질이야. 네 양복 안주머니에 항상 인슐린 약 챙겨갖고 다니잖아. 이 사람은 초콜릿 필요 없어요! 차라리 그 천 원은 저 주세요."

그러자 존 킴은 제시카에게 영어로 화를 냈다. 제시카도 지지 않고 영어로 대꾸를 했다. 은하는 둘이서 무슨 대화를 하는지 알아들을 수 없었다. 그들은 프랑스어를 섞어서 이야기를 하기도 하고 스페인어 억양으로 대화를 하기도 했다. 은하의 뺨이 벌겋게 달아올랐다. 자기를 무식한 아르바이트생이라고 얕잡아 보는 건가 싶었다.

“저, 그냥 천원 아무한테도 안 줄래요.”

존 킴과 제시카의 입이 쩍 벌어졌다. 은하는 망연자실한 두 사람을 뒤로하고 주방까지 빠른 걸음으로 걸었다. 주방에는 백희와 사장이 있었다. 둘은 같은 노트북 화면을 보면서 제법 화기애애했다.

※

“오빠, 그럼 오늘은 3층에서 자고 가도 돼?”

“그래, 전망이 가장 좋은 방으로 줄게.”

백희는 사장을 오빠라고 불렀다. 둘은 시시덕거렸다. 사장은 백희의 머리카락을 애정이 담긴 손길로 쓰다듬었다. 은하는 생각했다. 언제부터 둘이 저렇게 친했을까. 사장은 왜 백희처럼 예쁜 여자친구가 있으면서 나에게 데이트를 하자고 한 걸까. 은하는 애써 혼란스러운 낯빛을 감추고 담담하게 서 있었다. 사장은 무언가를 들킨 것처럼 소스라치게 놀랐다. 사장이 어버버하는 사이에 은하의 얼굴은 경멸로 가득 찼다. 백희는 사장과 은하를 번갈아 쳐다보며 피식 웃었다. 그러더니 대뜸 검지로 사장을 가리켰다.

“친오빠.”

백희는 이번엔 검지로 자기를 가리켰다.

“친동생. 친오빠가 친동생한테 숙소에 자고 가라고 하네요. 3층 숙소가 전망이 좋대요.”

그제야 은하의 머릿속에 엉킨 실타래가 풀어진 기분이 들었다. 언제나 백희는 여유롭고 느긋한 아르바이트생이었다. 실수를 해도 크게 놀라거나 당황하지 않았다. 진상 손님 앞에서도 기죽지 않고 할 말을 다했다. 그런 자신감 넘치는 태도가 항상 부러우면서도 의아했다. 또한 은하는 백희에게 계속 이유를 알지 못한 채 구박을 받는 것 같은 느낌을 받았다. 이제 잃어버린 퍼즐들이 제자리를 찾았다.

"벌써 사이다 마시고 왔어요?"

사장이 물었다. 쉬는 시간마다 음료수를 마시고 오는 것을 알았다.

"안 마셔도 될 것 같아요."

은하는 상쾌하게 웃었다. 이번에 백희와 사장이 의아한 얼굴이었다. 저 멀리 허공에서 쾅쾅 쾅 하고 부서지는 소리가 들렸다. 처음에는 밖에서 번개가 치는 줄 알았다. 천둥 번개 소리라고 하기엔 복도에서 벽을 타고 울리는 소리였다. 백희는 누군가 자판기를 부수고 있는 것 같다고 말했다. 사장이 주방에서 튀어나왔다. 그리고 그 뒤를 따라갔다.

로비에서 존 킴이 자판기를 상대로 주먹을 내지르고 있었다. 자판기는 꿈쩍도 하지 않았다. 요코가 어디선가 수화기를 들고 왔다. 존 킴에게 비켜, 하고 말한 뒤 수화기를 자판기를 향해 내리치려고 높이 들었다.

"지금 뭐 하시는 겁니까?"

"지금 안 보입니까. 배고파 죽을 지경이라서 이 자판기에 있는 컵라면이라도 꺼내서 먹을 생각이오."

"여기 cctv가 있습니다. 기물 파손 죄로 신고하겠습니다."

"이 자판기 기종, 인터넷으로 검색해서 찾아보니 오백만 원이더군. 지금 바로 칠백만 원을 입금하겠소. 저기에 있는 컵라면을 먹을 수만 있다면!"

존 킴은 스스로를 1일 1식 주의자라고 소개했다. 하루에 한 끼만 먹기를 지난 삼 년 동안 고수해왔다. 오늘도 평소처럼 하루에 한 끼만 먹으려고 하루 종일 굶었는데 저녁을 먹지 못해서 무척이나 배가 고프다고 했다. 여섯 명의 사람들 중에서 은하를 제외하고 아무도 천 원짜리 지폐가 없었다. 구형 간식 자판기는 만 원은 받지 않고 오로지 천 원만 받도록 설계되었다. 사장은 잠시 고민하더니 허락했다. 저 자판기를 부숴도 천만 원을 받는다면 오히려 수익을 얻는 셈이었다. 존 킴은 사장의 허락을 받고 수화기를 들었다. 사람들은 뒤로 물러난 채 숨죽여 존 킴을 바라보고 있었다. 존 킴은 수화기를 자판기에 던졌다. 그러나 놀랍게도 자판기는 산산 조각이 나서 부수어지기는커녕 흠집 하나 나지 않고 멀쩡했다. 그것은 아주 견고한 콘크리트 같았다. 사장은 안타까워했다.

"일제 자판기가 튼튼하다고 하더니, 이 정도일 줄이야."

존 킴의 아내 요코가 울기 시작했다. 일일 일식 주의자인 존 킴과 달리 요코는 간헐적 단식 주의자였다. 그녀는 하루에 열여섯 시간은 반드시 공복이어야 한다는 신념을 가지고 있었다. 그러나 지금 그녀의 신념과 어긋나게 스무 시간이 넘도록 공복을 유지 중이었다. 존 킴이 요코의 눈물을 닦아주었다. 운다고 달라지는 건 없어,라고 존 킴이 말했다. 하지만 결혼 서약할 때 당신이 밥은 굶기지 않겠다고 약속했으면서,라고 요코가 말했다. 그러자 존 킴은 발

끈하며 당신이 밥을 안 먹었잖아,라고 화를 냈다. 배고픔과 불안함은 부부 싸움의 도화선이 되었다. 제시카는 두 사람을 말리는 것엔 관심이 없었다. 인스타그램에 "#펜션에 갇혔어 #배고파 #폭설"을 올렸다. 순식간에 수백 개가 넘는 좋아요를 받았다며 백희에게 보여줬다. 백희가 문득 기억난다는 듯이 말했다

"은하 씨, 사이다 안 마셨으면 천 원짜리 있지 않아요?"

찬물을 뿌린 것처럼 조용해졌다. 모든 사람의 이목이 은하에게 쏠렸다. 제시카도 존 킴도 잠시 잊어버렸던 것이다. 은하에게 천 원짜리 지폐가 있다는 것을. 은하는 백희가 시누이처럼 얄미웠다.

"사이다 안 마실 거면 그 지폐를 저 사람들한테 팔아버려요. 천만 원에."

백희가 턱짓으로 존 킴을 가리켰다. 존 킴은 산다고 했다. 요코가 존 킴을 말렸다.

"안돼. 아무리 그래도 천 원을 천만 원에 사는 건 호구지. 칠백만 원 어때요? 저 자판기를 부순 셈 치고."

백희가 환하게 웃었다. 여러분, 하며 손바닥을 짝짝 거리며 집중시켰다. 백희는 자신을 경제 학도라고 소개했다. 자본주의 사회에선 수요 공급의 곡선이 있다. 수요라는 곡선에서 공급이라는 접점이 만나면 가격이 형성된다. 여기에서 수요는 많으나 공급은 단 한 장밖에 없다. 그렇다면 천 원짜리 지폐가 천만 원이라는 가격으로 형성되는 것은 매우 합리적이라는 결론이었다. 사람들은 뭐에 홀린 것처럼 백희의 말에 빠져들었다.

존 킴은 빨리 돈으로 문제를 해결하고 싶었다. 다섯 시간째 산골에 있는 펜션에 격리되다 보니 배고픔을 넘어서 고단함이 이만저만이 아니었다. 다들 어딘가 불안한 기색을 띠고 있었다. 지폐를 가지고 있는 은하는 제외였다. 존 킴은 토스 앱을 열었다. 제시카도 토스 앱을 열었다. 존 킴은 계좌번호를 말하라고 외쳤다. 서로 먼저 돈을 부치기 위해서 치열한 손놀림이었다. 제시카는 천십만 원을 제시했다. 존 킴은 천십오만 원을 제시했다. 백희는 자기가 짜놓은 경매 판들 흐뭇하게 바라보고 있었다. 은하가 이 철없는 부자들로부터 돈을 받으면 일정 부분을 수수료 명목으로 떼어달라고 부탁할 작정이었다.

"그만해요. 필요없어요."

얌전히 말을 듣고만 있던 은하가 굳게 다문 입을 열었다. 은하의 눈에서 눈물이 그렁그렁 맺혔다. 얼굴이 발갛게 달아오르고 몸이 부들부들 떨렸다.

"왜, 다들 나한테 단 한 번도 묻, 묻지도 않고 왜 자기들끼리 멋대로 가치를 매기고 결정해요."

은하의 두 뺨에서 눈물이 흘러나왔다. 백희가 안아주는 제스처를 했다. 은하는 백희를 피했다.

"다들 내 의견은 물어보지 않는 거냐고요. 내 돈인데."

수도꼭지처럼 한번 터진 눈물은 멈출 줄을 몰랐다. 사장은 은하에게 다가가지 못하고 되레 뒷걸음질을 쳤다. 은하는 내심 섭섭하면서도 유니폼처럼 똑같은 반응에 그럼 그렇지란 생각이 들었다. 그동안 전 남자친구들에게 울보라는 이유로 번번이 차이곤 했기 때문이다. 그만큼 은하는 기쁠 때도 울고 슬플 때도 울고 감동을 받아도 울고 때로 나뭇잎이 떨어져도 울었다. '외로워도 슬퍼도 나는 안 울어'란 캔디의 노래를 들으면서도 울었다.

"그럼, 아가씨의 의견은 뭔데요?"

제시카가 다가와서 물었다.

"먼저 저한테 사과하세요. 아까 홀에서 저에게 소리 지르고 엄청 무례하게 구셨잖아요. 음식이 늦게 나온다고 화내셨잖아요. 그거 펜션에서 부른 게 아니라 여러분들이 배달 시킨 건데도요."

대부분 울보들이 오랜 구박과 멸시로 인해서 울기와 말하기를 동시에 하는 스킬을 가지고 있다. 은하도 그랬다.

"죄송합니다."

"별로 죄송한 것처럼 보이지 않네요."

제시카와 존 킴, 요코의 얼굴이 창백해졌다. 제시카가 진심을 다해서 두 손을 합장하며 말했다.

"선생님, 정말로 죄송합니다. 변명은 하지 않을게요."

"괜찮아요."

제시카는 야,너하고 부르던 호칭에서 선생님으로 바뀐 것을 스스로도 눈치채지 못했다. 은하의 눈은 어느새 눈물이 그쳐있었다. 눈이 충혈되긴 했으나 얼굴에 활기가 돌았다. 제시카는 은하와 눈을 마주치지 못하고 고개를 숙였다. 진심으로 미안했다. 제시카는 부유한 집안에서 남부러울 것 없이 자랐다. 자기에게 고개를 숙인 사람들을 내려보는 것에 익숙했다. 제시카는 기대했던 바로 일이 풀리지 않으면 상대가 누구든 먼저 화를 냈다. 호텔의 총책임자한테, 아르바이트생한테, 골프장 캐디한테. 사람들에게 무례하게 굴수록 사람들은 자신에게 친절해졌다. 상대의 얼굴에서 두려움을 읽으면서도 그게 어떤 감정인지 잘 몰랐다. 이런 기분이었겠구나. 제시카는 속으로 중얼거렸다.

은하는 제시카의 손에 천 원짜리 지폐를 넘겨주었다. 제시카는 전혀 예상하지 못한 수상식에서 호명된 여배우처럼 주위를 두리번거렸다. 존 킴과 요코는 무슨 일인지 인식하기에 바빴다. 은하는 제시카의 손에 천 원짜리 지폐를 쥐여주었다.

"선생님, 제가 얼마를 드리면 될까요? 토스로 천만 원 보내드릴까요."

은하는 고개를 저었다. 그러더니 빙긋이 웃었다.

"고작 천 원인걸요. 가지세요."

제시카의 눈이 충혈되었다. 제시카는 천 원을 손가락에 끼운 채로 얼굴을 가렸다. 언뜻 보니 눈물을 참고 있는 것 같았다.

"난 정말 나쁜 사람이에요."

제시카가 울먹거리며 말했다. 은하는 제시카의 어깨를 토다 해줬다. 백희는 은하를 향해 입모양으로 바보, 라고 뻐끔거렸다.

"단 한 가지. 부탁이 있어요. 저는 작가예요. 비록 삼류이긴 하지만. 이 이야기를 글로 써도 될까요?"

제시카가 고개를 끄덕였다. 쓰세요. 마음껏. 은하는 다른 사람에게도 동의를 구하려는 듯이 바라봤다. 존 킴은 글 쓰는 사람이냐며 자기에게 더 재밌는 이야기가 있다고 말했다. 아직까지 천 원에 대한 미련을 버리지 못한 것처럼 보였다. 창밖에는 폭포수 같았던 눈발이 가랑비처럼 가느다랗게 변하고 있었다. 세상은 커다란 솜털이불처럼 따뜻하고 폭신해 보였다. 제시카는 천 원짜리로 자판기에서 컵라면을 뽑았다. 주방에서 뜨거운 물을 받아 요코와 존 킴과 나눠먹었다. 몇 분 후 형광 조끼를 입은 경찰들이 펜션에 들어왔다. 드디어 제설작업이 끝났다고 이야기를 했다. 밖에는 포클레인과 경찰차와 구급차가 있었다. 그 많던 눈들을 인력으로 모두 치워버렸다. 펜션에서부터 교외로 가는 길이 뻥 뚫렸다. 뉴스에선 재벌 3세 세 명과 그 외 세 사람이 펜션에 열 시간 정도 갇혔다는 보도가 흘러나왔다.

로
하

이
현
주

어디선가 익숙한 목소리가 들려왔다.

"안돼요! 안 됩니다. 어머님 저에게 시간을 좀 주세요......"

갑자기 어디선가 낯익은 목소리가 들려왔다. 감독님이었다. 로하가 축구를 그만하겠다고 선언하고 감독님과 코치님께 말씀드리고 있었다.

"잠시 로하와 이야기 좀 할 수 있을까요?"

로하는 감독님이 계시는 감독실로 들어와서 이야기를 나누었다. 그리고는 일주일의 시간을 가져보기로 하고 앞으로의 방향에 대해 조금 더 천천히 생각해보겠다고 대답했다.

***

불과 3개월 전의 일이었다. 학교에서 로하는 점심을 먹고 난 후 갑자기 고열이 났다. 선생님께 전화를 받고 난 후 회주는 바로 학교로 달려갔다. 손이 사시나무 떨리듯 떨리기 시작했다.

병원에 갔더니 장염이라는 진단을 받고 수액을 맞은 뒤 귀가하였다. 열이 39도까지 올라가서 떨어지질 않았다. 다음날 아침 학교에 전화를 해 큰 병원으로 간다고 하고 동네에서 제일 큰어린이병원을 찾아갔다. 의사선생님이 단순한 몸살감기라고 했다. 바로 약을 처방 받았지만 의사가 진단한 단순한 몸살감기가 아님을 회주는 직감하였다. 회주는 곧 생각에 잠겼다.

'어떻게 해야하지...? 십년을 넘게 키우면서 이런 증상은 없었는데... 장염이라고 해도 조금 이상한데....'

엄마는 반의사라는 말이 있다고 했다. 로하의 처음보는 증세에 이상함을 감지한 회주는 같은 병원 다른 의사에게 다시 진료를 받고 난 후 다짜고짜 입원을 시켜달라고 요구했다. 의사는 안타깝게도 병실이 없다고 했지만 회주는 꿋꿋하게 어제와 오늘의 상황을 재차 설명하며 의사를 설득 시킨 끝에 응급 환자들이 쓸 수 있는 병실에 로하를 입원시킬 수 있었다. 로하의 생애 첫 입원이었다.

저녁이 되어서야 입원 수속을 마치고 치료를 시작했다. 약도 먹고 링거도 맞으니 호전 될 줄 알았던 증세는 좋아지지 않고 오히려 밤 12시가 넘어서는 오히려 악화되고 있었다. 로하는 배가 너무 아파서 신음소리를 냈다. 어릴 때부터 잘 참고 아픈 것도 잘 견디는 아이였다. 희주는 그런 로하를 보고 어쩔 줄 몰라 급히 간호사를 불렀다.

차도가 없자 간호사는 약하나를 구해 왔고 긴급으로 처방되어진 알약을 먹고 괜찮아지길 기다려보았지만 새벽 내내 고통에 시달리다 아침을 맞이한 로하가 너무 안쓰러워 눈물이 찔끔났다.

"하느님! 우리 하나밖에 없는 로하 제발 아프지 않게 해주세요!" 기도도 하고 생각에 잠겼다. 이튿날 로하의 고통은 더 심해졌고 증상은 더 악화 되어갔다. 의사가 정밀 검사를 해보자고 했다. 외래에서 기다리며 초음파 검사를 해보았지만 별다른 병명을 찾을 수 없었다.

그렇게 꼬박 하루가 지나가며 로하는 점점 시름시름 앓고 아무것도 먹지 못하고 있었다.

다음날 의사는 아침 회진을 왔다. 희주는 의사와 간호사가 하는 대로 가만히 지켜보고만 있을 수 없었다. 병원에 입원해서 치료도 받고 있는데 어떻게 더 심해지고 있는지 적극적으로 의사에게 얘기해보았다.

급기야 희주는 큰 병원에 의뢰를 했다.

"이정도면 더 정확한 정밀검사를 해보아야 하는거 아닐까요 선생님?"

"....... 그럼 oo병원으로 가셔서 CT를 한번 찍어보고 올게요. 어머니."

의사는 의뢰서를 적어 줬고 희주는 로하와 함께 다른 병원으로 가서 CT를 찍었다. 가슴이 조마조마했다.

'별일 아닐 거야... 별일 없을 거야... 아프지 말자. 로하야...'

의사가 검사 결과를 말해야 하는데 자꾸만 말을 더듬었다.

"이건 정상이구요. 어머니... 이것두 정상수치입니다. 그런데요 어머니..."

회주가 놀랄까봐 그랬던것인지 검사결과에 대해 의사는 천천히 말을 이어나갔다.

'정상범위인 것들로 안심을 시키고 난 뒤 얘기하려고 하는 것인가...?' 찰나 생각했다.

"어머니... 리파아제 수치가 높은 걸로 봐서 급성 췌장염입니다... 큰 대학병원으로 가셔서 치료를 받으셔야 하고 지금은 아주 위험하고 긴급한 상황입니다."

회주가 정신을 똑바로 차리고 말을 이어나갔다.

"그럼 지금 입원해 있는 병원에서는 치료가 불가능한가요?"

"네... 아이들에게 췌장염은 보기 드문 병이고 큰 대학병원으로 가셔서 반드시 치료를 받아야 합니다."

'의사들은 원래 최악의 상황을 늘 얘기하니까 괜찮을 거야...'

회주는 스스로를 위로하며 입원해 있던 병원으로 발걸음을 재촉했다.

진단서를 꼭 쥐고 입원해있던 병원으로 돌아가 짐을 정리했고 퇴원 수속을 밟으며 초조해져만 갔다. 로하는 많이 힘들어했다. 며칠 사이 살도 많이 빠졌고 얼굴은 수척해져갔다. 대학병원 응급실로 가서 다시 또 처음부터 검사가 시작되었다. 검사를 마친 후 밤 11시가 되어서야 응급환자들을 관리하는 응급병동으로 옮겨졌다. 의사는 금식이 치료라고 했다. 간호사가 다인실로 들어와 일주일은 금식을 해야 한다고 했다. 또 환자의 상태에 대해 설명을 해주는데 희주는 머리가 하얘져 설명이 귀에 들어오지 않았고 간호사가 도대체 무슨 말을 하는지도 모르고 마치 외계어를 듣고 있는 것만 같았다.

로하는 대학병원에서 치료를 받기 시작하며 조금씩 호전되어갔다. 하지만 아무것도 먹을 수 없고 물도 마시지 못해 지옥이 따로 없었다. 매일 검사를 하면서 체크를 해나갔다. 유명하신 최교수님과 레지던트 의사들은 오전 일찍 회진을 돌기 시작했다. 염증 수치가 조금씩 내려가고 있으니 조금만 더 지켜보고 식사를 시작할 예정이라고 했다. 아무것도 먹지 않고 있을 수는 없으니 수액으로 하루하루를 보충해갔고 고사리 같은 로하의 손과 팔에는 링거바늘 자국으로 더 이상 링거를 꽂을 수도 없었으며 팔과 손은 점점 멍이 들어만 갔다. 희주는 로하를 보며 마음이 아파 눈시울을 또 붉혔다.

'퇴원하고 나면 맛있는 음식 많이 만들어 주고 많이 아껴주고 사랑해줘야지....'

며칠 뒤 쌀미음으로 시작을 해보자고 의사가 말했다. 너무 기뻐 입원실을 뛰어다녔다.

'음식을 먹을 수 있음에 감사하자!'

"하느님 감사합니다!! 부처님 감사합니다!! 성모 마리아님 감사합니다!!!"

드디어 입에 음식을 한 숟갈 넣을 수 있다는 기쁨에 감격하고 눈물을 훔치며 식사를 했다.

'살아있음에 감사... 아프지 않음에 감사... 먹을 수 있음에 감사... 걸을 수 있음에 감사......'

생각하고 따지고 보니 감사하지 않을 것이 하나도 없었다. 병원에서 너무 완벽한 하루였다.

저녁을 먹어보고 괜찮으면 그 다음 날도 로하는 죽을 먹을 수 있다고 했다. 과연 괜찮을까..?

기도하고 또 기도하며 잠이 들었다. 다음 날 죽을 먹고 그리고 며칠 뒤 밥을 먹고 나서도 계속 복통도 두통도 속도 괜찮았다. 더 이상 아프지 않았다. 검사 결과도 좋아지고 있었다. 같은 병실에 있던 환우가 백혈병 진단을 받고 호전되어 일반 병실로 올라와 같이 생활하고 있었는데 급격하게 증상이 나빠져 다시 응급 병동으로 내려갔다. 옆에서 지켜보니 로하도 마냥 안심할 수는 없겠다고 희주는 생각했다.

그렇게 불안한 밤들을 며칠 보냈다. 의사가 검사 결과가 괜찮아 퇴원하고 집에서 통원치료를 하자고 했다.

" 로하 이제 집에 가야지~?"

"아 정말요? 선생님 로하 이제 집에 갈 수 있는거에요? 너무 감사드려요..."

한 달은 걸릴 것 같았던 병원 생활이 생각보다 일찍 끝나서인지 왠지 모를 시원섭섭함이 느껴졌다. 병원에 있는 동안 감독님이 병문안을 왔다. 꼭 회복해서 복귀하겠다며 감독님과 굳게 약속을 하는 로하를 희주는 멀리서 지켜볼 수 밖에 없었다. 병원에서는 웬만하면 면회를 허락하지 않았기 때문이었다.

퇴원하고 몇 주는 통원 치료를 하며 주기적으로 병원에서 검사를 했다.

일주일 후, 그리고 한 달 후. 로하의 검사 결과는 정상범위에 진입했고 감독님과의 약속을 지키기 위해 다시 축구선수로서 복귀를 다짐했다. 로하는 병실에 있는 동안 틈틈이 체력운동을 하는 강한 의지를 보이곤 했다. 아픈 와중에도 그런 불굴의 의지를 보이는 모습을 보며 희주는 로하가 내심 대견하기까지 했다.

로하는 선수로서 복귀했고 훈련을 마치고 난 후 컨디션 회복 간식을 먹을 수 있는 것이 허락되지 않았다. 다른 선수들과 다르게 식단 조절을 해야 했고 먹으면 안되는 음식, 피해야 하는 음식들, 양을 조절해서 먹어야 하는 음식들이 있었기 때문이었다. 퇴원할 때 몸무게가 예전처럼 회복이 잘되지 않았고 운동을 병행했던 탓인지 그 사이 체력도 많이 떨어져 있었던 로하는 희주가 보기에 조금 힘에 부쳐 보였다. 희주는 마음이 몹시 씁쓸했다.

하지만 줄곧 괜찮다던 로하도 더운 여름날 체력적으로 지쳤는지 힘들다는 얘기를 했고 대회에 출전하고 집으로 복귀한 뒤 병원에 3개월 정기 검진이 있던 날이었다.

"며칠 전에 감기에 걸린 적이 있었습니까? 아니면 최근 체력적으로 과로한 일이 있나요? 피 검사에 탈수 증상이 있는데요."

의사가 이번에는 백혈구 수치가 떨어져 있다고 했다.

"최근에 2주간 대회를 나갔고 일본을 다녀오고 해서 더 그런 것 같아요. 아무래도 집에서 잠을 자는 것과는 다르니까요......"

회주는 얘기했지만 내심 걱정이 되었다. 불길한 느낌이 들어서 마음이 불안했다.

"아 그랬나요? 그럼 뭐.... 그럴수도 있겠네요... 피곤하면 수치가 정상에서 조금 벗어날 수 있으니까... 좀 푹 쉬게 해주세요. 물 많이 마시구요"

회주는 애써 태연한 척 했지만 사실은 덜컥 겁이 났다. 운전을 하며 생각에 잠겼다.

'백혈구 수치가 높다니......'

집에 돌아와서 로하와 이야기를 나눴다. 몸 상태가 걱정되던 회주는 로하에게 지금의 현재 상태를 사실대로 이야기 했고 로하는 생각에 잠겼다 고민 끝에 선수 생활을 그만하겠다고 했다.

"먹을 수 있는 것들이 한정되어 있고 고기도 많이 먹지 못하니 선수가 어떻게 힘을 쓸 수가 있겠나..."

"지금까지 버텨온 것만 해도 정말 대단한 아이야 여보!"

회주는 남편 도욱과 밤새 고민을 함께하며 얘기를 나누었다. 로하는 회주와 도욱이 조금만 더 버텨보고 그때 다시 생각해보자며, 아직 포기하기엔 너무 이르다고 옆에서 이야기해주었더라면 아마 포기하지 않았을지도 모를 일이었다. 하지만 건강과 관련된 일이니 회주와 도욱은 더욱 더 신중할 필요가 있었다.

"감독님께 말씀드리자 여보!"

선수들은 대회를 마치고 돌아온 일주일의 꿀맛 같은 포상 휴가를 보내고 훈련에 복귀하는 날이었다. 감독님과 대면했다.

***

어디선가 울리는 전화벨 소리에 눈이 떠졌다. 잠에서 깬 희주는 꿈을 꾼 것인지 직접 겪은 일인지 헷갈릴 정도로 무엇이 현실인지 가늠이 안 갈 정도였다. 아들은 분명 만난 것 같은데 아직 아들은 없고 참 기이한 일이라 느끼며 잠시 생각에 빠졌다. 잠깐만...

'꿈 속에 아들 이름이 뭐였지....?'

'많이 부른 이름, 익숙한 이름이였는데...?'

이상하다 생각하며 침대에서 일어나 거실로 향했다. 곧장 소파로 가서 자리에 앉아 정신을 차리려고 어항에 갇힌 금붕어마냥 눈만 끔뻑 끔뻑거렸다. 그때 주방에서 엄마의 밥 짓는 냄새가 향긋하게 느껴졌다.

"어? 이상한데...? 갑자기 속이 괜찮은데? 괜찮으니까 더 이상해 엄마......"

희주 어머니가 그 말을 듣자 곧장 소파로 다가와 물을 한잔 내밀었다.

"괜찮니 희주야?"

이마에 손을 짚어보고 헝클어진 앞머리를 뒤로 쓸어 넘겨줬다.

"응, 괜찮아 엄마! 그런데 꿈이 너무 생생해... 기분이 이상하면서

뭔가 묘해..."

분명 겪은 일인데 데자뷔처럼 선명하고 생생한, 하지만 먼 미래
나 과거를 다녀온 듯 지금의 현실과는 사뭇 다른 어색하고 익숙한
느낌이 회주를 의아해하게 만들었다.

마치 미래에 타임머신을 타고 다녀온 듯한, 그래서 다시 가보고
싶게 만드는 냄새와 향기, 그리고 경험하고 선명한 장면들이 뇌리
에 박혔다. 꿈을 꾸고 났더니 마치 뜨거웠던 여름을 몇 해 지나보
낸 것 같았다.

때마침 도욱이 출장을 마치고 한국으로 돌아왔다는 전화가 왔다.
사랑하는 회주를 생각하며 선물을 한 아름 들고 귀국한 도욱은 친
정집으로 회주를 데리러 왔고 회주를 걱정하는 엄마를 안심시키고
인사하며 헤어졌다. 도욱의 차에 탄 회주가 벨트를 하며 도욱의 전
화 벨소리로 인해 깼던 꿈 이야기를 슬쩍 꺼냈다.

"여보! 나 정말 신기한 꿈을 꿨어!"

도욱이 운전대를 잡고 콧노래를 부르며 물었다.

"어떤 꿈인데? 혹시 태몽 아니야?"

회주의 임신 사실을 듣고 꽃다발과 작고 이쁜 선물을 트렁크에
깜짝 서프라이즈를 준비했던 도욱이었다. 집에 도착하자마자 트렁
크를 열어 입덧으로 힘들어하던 회주를 활짝 웃게 해주고 싶었다.
도욱은 로맨틱가이 이벤트 끝판왕이었다. 그런 도욱을 회주는 부끄
러워했지만 속으로는 또 좋았을지 모른다.

"와 여보! 너무 예쁘다!! 진짜.... 감동이야... 언제 이런 걸 또 준
비했어?"

도욱은 회주의 표현이 싫지 않은지 피식 웃어 보였다. 회주는 애교는 없지만 고맙다는 표현은 곧잘 하는 편이었다. 오랜만에 회주의 웃는 모습을 보니 도욱도 좋았다.

***

회주가 로하를 만난 건 몹시 뜨거웠던 여름 즈음이었다. 당시 회주는 수업을 시작하려고 집에서 나오던 무렵이었다. 갑자기 속이 미슥거리고 머리가 지끈한 것이 엄마가 해주는 밥 냄새를 감당하기 버거웠다. 밥솥에서 나는 밥 짓는 냄새는 회주의 발걸음을 멈추어 세웠다.

"아... 수업 어떡하지...? 큰일이네......"

회주는 걱정을 한가득 차에 실어 메스꺼운 속을 부여잡고 집을 나와 강의실로 향했다. 교무실로 먼저 들어가 필요한 교재와 학생들에게 나누어 줄 관련 자료들을 복사하기 위해 복사기 앞에 섰다. 장선생이 들어오며 얘기했다.

"회주씨 안녕? 어? 근데 얼굴이 왜이렇게 창백해? 어디 아파?"

"아..네... 안녕하세요? 장선생님......"

"오늘 수업 괜찮겠어? 조퇴해야하는거 아냐?"

"네.. 아니요... 괘..괜찮아요..."

턱까지 가득찬 A4용지를 한아름 안고 뒤돌아 나와 강의실로 향했다.

수업이 시작되었다. 속은 점점 더 메스꺼워지는 탓에 회주를 힘들게 했다. 말을 하고 강의를 할수록 더 불편해져 더 이상 수업을 진행하기는 버거워졌다. 박원장을 만나 상황을 얘기 하고 수업을 부탁한 다음 집으로 향했다. 희주는 입덧이 심해 더 이상 일을 할 수 없었고 박원장을 만나 면담 후 휴직을 신청했다. 그렇게 희주는 로하를 만났고 육아에 최선을 다했다.

그로부터 10년이 흘렀다. 유난히도 많이 아프던 어린 시절을 보냈던 로하였다. 어느새 튼튼하고 건강해진 로하의 모습을 본 희주는 흐뭇했다.

"우리 강아지 언제 이렇게 컸을까...?"

그럴 때 마다 로하는 대답했다.

"엄마 나 강아지 아니고 사람이야!"

언제부턴가 로하는 축구선수가 되는 것이 꿈이라고 했다. 유치원을 다닐 때 축구를 하고 싶다고 해서 시작했고 6살부터 꿈에 있어서는 어른처럼 완고했던 로하가 어찌보면 기특했다.

희주는 로하의 꿈을 응원해주기로 했다. 운동선수의 길이 쉽지 않은 길이라는 것을 알지만 부딪혀보고 경험해보는 것이 로하의 성장과정에 무엇보다 중요하고 도움이 될 것이라 생각했기 때문이었다.

10살이 되던 해 로하는 지역 축구팀 프로산하 유스팀에 들어가 테스트 합격을 했다. 그렇게 로하의 유소년 축구선수의 길이 시작되었다. 감독님은 로하의 리더쉽 있는 모습과 어린 나이에 맞지 않는 근성을 좋아했다. 훈련하는 태도가 좋다고 얘기했고 늘 열심히 하는 모습을 높이 평가 했다. 부족한 점은 고쳐 나가고 발전해 나갈 수 있도록 옆에서 많이 도와주었다.

희주는 친구들과 점심을 먹고 커피 한 잔 하며 이야기 나눌 수 있는 식당 옆 까페로 갔다. 까페에서 커피를 주문하고 배는 부르지만 케익까지 주문했다.

"다 먹을 수 있어!"

희주의 말에 정원이는 대꾸했다.

"하하하! 내기하자. 너 다이어트 한다며? ......"

'아.... 다이어트......'

어쨌든 내기와 다이어트는 모르겠고 배는 부르지만 케익과 커피잔이 담긴 쟁반을 들고 까페 2층으로 올라갔다. 자리에 앉아서 커피 한 모금을 들이켰다.

"아! 따뜻하고 좋다."

그 때, 로하의 담임선생님께 전화가 걸려왔다.

로하는 학교 생활도 착실하게 하는 모범생에다가 아파서 조퇴하는 일이 거의 없는 학생이었기에 학교에서 전화가 오는 일은 거의 없었다.

"이 시간에 무슨 일이지? 혹시 다쳤나?"

갑자기 불길한 예감이 들었다. 희주는 전화를 받자마자 바로 까페를 나와 곧장 학교로 달려갔다. 언뜻 보기에도 로하의 상태가 심상치 않아 보였다. 고열로 많이 힘들어 보였다.

선생님은 로하를 얼른 데리고 병원에 가보라고 하셨고 로하는 금방이라도 쓰러질 듯했다.

급한 마음에 학교 근처에 있는 병원에 갔다. 의사는 장염이라는 진단을 내리고 입원해야 할 지도 모른다고 말하며 수액을 맞고 가라고 했다. 링거를 맞으면서 열이 떨어진 후 조금 푹 쉬고 나면 괜찮을 것이라 생각했다. 약 먹고 집에 가서 푹쉬고 괜찮아질것이라고...

집으로 돌아가 차도가 없었고 다음 날도 해열제가 듣지를 않았다. 병세는 점점 더 악화되어 가는 듯했다. 화장실을 수십번 가고 먹은 것은 없는데 걱정이었다. 병원에서 처방해주는 약을 먹고 링거 수액을 맞고 나면 회복 하는것이 정상이었지만 로하는 차도가 없었고 회주와 로하는 병원을 여러군데 찾아다녔다.

***

로하는 췌장염 진단을 받았다.

12년 전 그토록 이상하고 생생하던 꿈이 현실에 일어날 일이었다니...

회주의 꿈이 현실에서 그대로 일어났다. 회주는 소름이 끼칠만큼 놀랐고 온몸에 전율이 느껴졌다.

'왜 이런 꿈을 꾸었던 것인지......?'

'왜 나에게 이런 일이 일어나는 것인지...'

'왜 우리 가족에게 이런 일이 일어나는 것인지...'

괴로웠다. 12년 전 그 꿈을 꾸지 않았더라면 이런일이 일어나지 않았을까...?

희주는 모두 자신의 탓인 것 같아 로하에게 그리고 가족에게 죄스러웠다. 아직 그 꿈이 생생한데 꿈속의 어렴풋한 내용들과 똑같이 반복되는 이런 현재의 상황이 당혹스럽고 황당하기 짝이 없지만 희주는 현실을 인정하고 받아들이기로 했다.

'어쨌든 이겨내보자! 꿈에서도 무사히 퇴원하고 치료받고 했으니...'

병실 앞에 와서 전화를 한 도욱에게 다가가 희주는 속삭이듯 이야기를 꺼냈다. 몇 해 전 꾸었던 꿈이야기를...

도욱도 신기했던 그 꿈을 여전히 기억하고 있었다. 희주가 생생하게 이야기 해주었던 탓인지 꿈이 너무 이상해서 그랬던 것인지 기억하고 있었지만 로하에게 일어날 일이었던 것이라는 사실을 여전히 믿지 못하는 눈치였다.

"여보 나 좀 무서워....."

"괜찮아 꿈이니까..."

괜찮다고는 했지만 도욱도 사실 겁에 질린 것 같이 보였다.

병실에는 보호자 1명만 들어갈 수 있었다. 그래서 로하옆에는 희주가 있고 도욱은 출근하기전이나 혹은 퇴근하고 난 후 병원을 오가며 잔심부름을 했다.

로하에게 필요하거나 24시간 간병 하는 희주가 먹을 수 있는 약간의 간식을 사다 주곤 했다.

***

퇴원을 한 후 로하는 그럭저럭 잘 지냈고 희주는 로하의 건강관리에 온 힘을 쏟았다.

다시 학교로 돌아가 일상생활을 하며 선수 생활도 병행하면서 지냈고 음식은 여전히 신경 써서 먹어야 했기에 희주는 늘 도시락을 챙겨 점심시간이면 학교로 가져갔다.

로하는 점심시간 종이 울리면 축구부실로 내려와 희주의 도시락을 먹고 교실로 올라갔다.

"엄마 고마워 잘먹었어."

"엄마가 더 고마워 잘먹어줘서."

희주는 음식에 간이 잘 되어있지 않은 싱거운 음식을 군소리없이 잘 먹는 로하가 기특하고 대견했고 마음속으로 늘 기도하며 지냈다. 그렇게 한 달이 지났고 희주의 정성에 로하는 누구보다 잘 이겨낼 수 있었고 참을성이 많은 로하 또한 무엇이든 잘 극복해 나갔다.

유소년 축구선수로서 먹어야 할 음식들 보충해줘야 할 간식들을 제대로 먹지 못하는 로하는 체중이 더 이상 늘지 않았고 또 운동으로 체력이 떨어져 조금씩 힘들어하기 시작했다.

희주는 알고있었다. 시간이 얼마 남지 않았음을......

6살부터 축구선수가 꿈이었던 로하... 12년 인생의 절반을 축구와 함께하며 지냈고 또 시련이 와 이겨내보겠다고 하는 로하.

"엄마! 유명한 운동선수들의 책에는 시련들이 다 있어!

내가 축구선수가 되면 책에 이렇게 아팠던 것도 이겨내는 것도 실리겠지?"

늘 하하하 웃으면서 해맑게 이야기하던 로하였다.

축구부 연습경기가 있었다. 퇴원하고 팀에 복귀한 지 얼마되지 않았던 날이었다. 로하는 경기에 출전했고 40일간의 공백기가 무색할 만큼 보란 듯이 골을 넣고 좋아했다.

두 달의 시간이 흐른 뒤, 유소년 팀들과의 챔피언십 대회가 다가왔다. 로하는 대회를 잘 마무리하고 돌아왔다. 그리고 다음 날 일본으로 떠나 한국대표 자격으로 국제주니어 친선대회에 참가하게 되었고 일본과 중국을 상대로 우승컵을 들어 올리고 금의환향했다.

로하에게는 잊을 수 없는 소중한 추억이었고 한국으로 돌아와 뉴스에 신문에 연일 떠들어대던 대중매체를 보며 행복했다.

한국으로 돌아와 휴가를 받았고 푹 쉬면서 지내는 동안 로하의 컨디션은 지하로 엘리베이터를 타고 내려가듯 쭈욱 미끄러져 내려가고 있었다. 휴식기간동안 병원의 정기검진 후 좋지 않은 결과가 나왔고 희주와 로하는 긴 상의 끝에 그렇게 오랫동안 꿈꿔오던 축구선수의 꿈을 떠나보내야만 했다.

국가대표가 꼭 되고 싶어 했던 로하는 그렇게 감독과 코치 그리고 선수들과 마지막 작별 인사를 했다.

***

로하는 학생의 신분으로 돌아와 열심히 학교생활을 했다. 췌장염이 만성췌장염으로 재발하지 않기 위해 몸의 컨디션도 정신적인 스트레스도 꾸준히 관리하고 노력을 하며 즐겁게 생활했다. 만성췌장염이 되고 나면 췌장암으로 발병이 되기 때문에 건강관리는 평생 해야 했고 조심해야했다. 누구보다 건강이 우선이고 최우선으로 할 수 밖에 없었다. 로하는 병원을 다니며 자연스럽게 의사들을 많이 접했고 궁금한 것이 있으면 곧잘 물어보곤 했다.

그래서인지 어느 날 고등학교 2학년이 되던 해에 의사가 되겠다고 했다.

"나도 치료해주고 싶어... 아픈아이들이 없었으면 좋겠어..."

희주는 건강하게 잘 성장해주는 것만으로도 감사하고 고마운데 본인처럼 아픈 아이들을 돌봐서 치료해 주고 싶다는 로하가 정말 대견스러웠다.

"엄마 우는 거야?"

사춘기의 터널의 끝을 막 지나고 있는 로하는 생각이 깊은 아이였다.

"응... 아니야...... 너무 잘 커주고 있는 네가 고마워서 엄마가 눈물이 나는거야......"

"엄마 나 어릴때부터 울보였어! 몰랐지?"

"정말? 내가 그랬어?"

"나 12살 때 기억나? 갑자기 학교에서 조퇴하고 입원했던거"

"당연히 기억하지!"

"그때부터 엄마 울보였어!"

"......"

"엄마 우는게 다 나때문인 것 같아 늘 마음아팠어"

"......"

희주는 펑펑 울었다. 살면서 그렇게 울어본 적이 없었던 것 같았다.

로하는 그런 희주를 살며시 안아주었다. 희주는 로하를 쓰다듬어주고 힘껏 안아주었다.

사춘기라 희주가 옆에 가던 것도 싫어하던 로하였는데 어느새 로하가 훌쩍 커버린 느낌이었다. 엄마보다 키만 큰 줄 알았는데 마음도 이미 어른이 되어 가고 있던 중이었다.

희주는 어릴 때 로하에게 항상 입버릇처럼 했던 말이 있었다.

로하가 엄마에게 질문하면 늘 돌아오던 답이었기도 했다.

"엄마! 엄마는 내가 나중에 커서 진짜 진짜 돈 많이 벌면 엄마에게 무엇을 해줬으면 좋겠어?"

"로하야 나중에 커서 돈 많이 벌면 어렵고 가난한 사람들을 많이 도와줘야 해...!

엄마는 네가 힘든 사람들을 도와주면서 나눌 줄 알고 베풀 줄 아는 삶을 살았으면 해. 그런 보람 있는 행복을 느끼면서 몸도 마음도 건강한 사람이 되면 좋겠구나."

로하는 그렇게 여전히 축구를 좋아하는 의사가 되었고 아픈 아이들을 치료해주겠다던 그 마음으로 아프리카행 새벽 비행기에 몸을 실었다. 바람 빠진 축구공을 가방에 잔뜩 실은 채로... 그 공 안에 누군가의 행복을 가득 불어넣으려는 듯......